「老けない人」ほど よく喋る

健康長寿のカギは話し方にあった

南 美希子

ワニブックス
|PLUS|新書

はじめに

私の母は2年前に89歳で亡くなりました。

89歳というと日本女性の平均寿命を3歳ほど上回っているので、ほぼ天寿を全うしたように思われるかもしれません。しかし、晩年の12年間余りは当人にとっても我々家族にとっても大変辛く不幸な期間でした。

人が健康上の問題で日常生活が制限されることなく自力で生活できる期間のことを健康寿命といいます。特に女性の場合、健康寿命と単に生き長らえた平均寿命の差は平均約12年（２０１９年度調べ）にも及ぶのです。

つまり、晩年の12年間ほど寝たきりになるのが、日本人女性の平均的な姿なのです。

まさに私の母はこの典型例で、亡くなる約12年前に認知症を発症し、坂道を転がるように悪化の一途を辿りました。終盤は壊死した両足を切断し、胃ろうでかろうじて生命をつなぐ状態でした。妻の故郷、広島で開業することになった医師である私の実弟が、移住と同時に環境に恵まれた広島に、母を伴っていきました。当初は、弟夫妻と同居して新天地を楽しんでいたようでしたが、ある時骨折し、動けなくなって以来寝込みがちになってしまいました。そして、これを機に近くの老人ホームにお世話になることに。老人ホームに移ったことでかえって私も訪ねやすくなり、孫である息子を連れてしばしば会いに行っていたものです。

ところがある日、「どちらさまでしたでしょうか？」と言われ、愕然としたのをきっかけにみるみる会話がかみ合わなくなり、10年間近くは言葉を交わすことさえできなくなりました。出張に伴ったり、避暑に出掛けたり、元気な頃の母とは一緒によく旅行したものです。ともに美味しいものを食べ、たわいもないことを語り合うのが、多忙だった私のかけがえのない憩いだったのです。

「喋る」というごく当たり前に行っている人間の営為はなんて尊いことなんだろう、

衰えゆく母を見ていて痛感しました。

　そして、喋ることとは生きることなのだと改めて気づかされたのです。

　折しも新型コロナウイルスが蔓延し、「コロナ禍で認知症リスクが高まった高齢者急増」、こんな見出しを新聞などで目にすることが多くなりました。母の場合は骨折が命取りになってしまいましたが、認知症を促進する要因としては、生活環境や生活習慣が大きく関与します。「孤独」や「孤立」が認知症の大敵であることは間違いありません。

　よしんば認知症を意識しなくても、孤独な人生は誰もが避けたいに決まっているでしょう。実際、孤独が脳に悪影響を及ぼすというエビデンス（科学的根拠）も存在するそうです。孤独は、たばこを1日に15本吸うのと同等に寿命を縮めるリスクになるという研究結果も報告されているそうで、想像以上に深刻です。

　もちろん、孤独・孤立は高齢者に限った問題ではなく、社会問題化している若者の引きこもりなども同様です。２０２１年3月、イギリスに続き日本でも孤独・孤立対策担当大臣が誕生しました。孤独を国民の心身の敵ととらえて、国家を挙げて問題に取り組もうという意気込みの表れだろうと思います。

その一方、国際機関ＯＥＣＤ（経済協力開発機構）が21カ国で行った調査によると、社会的つながりから疎遠である人の割合は日本人男性が最も高かったそうです。別の調査でも、「日本の高齢男性単独世帯では、２割近くが、会話の頻度は２週間に１回以下」という驚くべき結果が報告されています。

まさに喋ることは高齢者の生命線、いやすべての人間の生命線と言っても過言ではないでしょう。

仕事人として社会に関わっている間は、たとえ会話が不得手であったとしても、とりあえず喋らないことには世の中を渡ってはいけません。ところが退職などで、一旦社会から遠ざかってしまうと、自分から進んで他人とコミュニケーションを取る努力をしないと、前述の日本人男性のように２週間会話なしという生活もあり得るということです。この状態に甘んじることは、絶対に避けなければならないと思います。

ところで、若い人の話下手のケースと違って、シニアにはある種の顕著な傾向が見られると思います。そして、そのことによって他人から疎まれたり、受け入れられなかったりして、ますます会話から遠ざかっていくことになります。

それは、「話が長い」「要領を得ない」「同じ話を何度も繰り返す」「昔の自慢話がうざい」などで、これらの理由で、残念ながら仲間から排除されることも珍しくありません。もちろん、認知症との関連もあるでしょうから、自分の意思だけでは矯正が難しいところもあります。

でも、本書を手に取ってくださった方であれば、まだ遅くはありません。話下手の傾向と対策を練ることで、同世代のみならず老若男女あらゆる性別・世代の人々との会話に溶け込み、さらには会話の中心人物になることだって夢ではありません。いくつかのコツをマスターして、とにかくそれを実践するだけでいいのです。

そして、それは残りの人生をさまざまな病という災厄から遠ざけるだけではなく、感動や気づきのある充実した日々にしてくれるはずです。喋らにゃ損々。喋り倒して少しでも老いを遠ざけ、ああ楽しい人生だったと呟きながら一生を終えようではありませんか。

レッツ・トライ!

老けない話し方のコツ❶

いいことずくめ、褒め言葉の効用

結婚生活と子育てを体験して得た教訓があります。

それは、「夫と子供は褒めて育てよ」ということ。

仕事と育児と家庭生活を並行させるという気持ちに余裕のない生活を送るなかで、夫に対して日頃の憂さや怒りをぶちまける場面も正直けっこうありました。夫の側に心のゆとりのある時は、「まあまあ、落ち着けよ」と諭され、ハッと我に返りますが、あちらとて生身の人間です。売り言葉に買い言葉で、派手な夫婦げんかに発展することもありました。ただならぬ気配に赤ん坊は火がついたように泣きだすし、こちらの心は一層ささくれ立ち、当然相手だって面白いはずがありません。

マイナスのエネルギーに体力を奪われた時の心身の疲労は計り知れません。また、家庭内に流れる重々しくイヤ～な空気が解消されるまでぐっと耐えなくてはなりません。

この悪循環を断ち切ることはできないものかと考えて、ハタと思いつきました。

「こっちは忙しいんだからさ、ゴミくらい捨ててよ。まったく、もう」

この物言いでは争いを誘発しているのは明らかです。

「この前、ゴミを捨ててくれてありがとう。お陰で助かったわ。今日もお願い」

こう言えば争いも起きず、こちらの要求もスムーズに通ることを発見したのです。

以降、夫との会話に、意識して**「ありがとう」「お陰で」「助かるわ」の3つのワードを入れるようにして平穏な夫婦関係を取り戻せた**経験があります。

息子に対しても同様です。「かたづけなさい」「勉強しなさい」「寝なさい」など高圧的な命令口調で、敵が動いたためしがありません。特にまだ**子供が幼いうち、顕著な効果を発揮した言葉が、「えらい」「すごい」「ほかの子とは違うわ」**でした。

教育書などにも書かれているように、子供とは元来褒められて伸びるように生まれついてきたのかもしれません。そんなふうに確信しました。

ついでに言うと、飼っていた犬も同様で、粗相をした時にこちらがすごい剣幕で怒ると、過ちを何度も繰り返します。上手にトイレができた時、試しに「本当はできるんだよね。そうだよね」と目の奥を見て言い含めていると、そのうちにトイレ以外で粗相をすることがなくなりました。犬の場合は偶然だったのかもしれませんが、少なくともこちらが怒りのエネルギーを費やさない分、心が楽になりました。

毎日寝食を共にしている家族でも、褒めることによって、その関係性は驚くほど円滑なものに変化します。赤の他人ともなるとなおさらです。歯の浮いたようなお世辞は逆効果でしょうが、相手をじっくり観察して美点を探し、極力褒めましょう。

例えば初対面の相手と名刺交換し、その名刺がユニークだった場合、

「裏に経歴やセールスポイントを書いた名刺ってアイデアの勝利ですよね。どんな方だか名刺だけでだいたい分かってしまう、さすがです」

こんなふうに褒めると相手からの心証もよくなり、会話も自然と転がっていくものです。そして、**褒めることのメリットは相手の気分をよくすることにとどまりません。何よりも自分のためにもなる**のです。

認知症研究の第一人者と言われる大学教授が書いたものを読んだことがありますが、「利他主義」が最も脳を活性化させるのだそうです。利他主義は他者に利益や幸福などを与えることであり、そうすると結果として相手からも何らかの報酬を受け取ることになるのです。感謝されたり、ありがたがられたりします。それが何よりも脳を活性化させ、認知症の予防にもつながるというわけです。

褒めるところに幸あり、徳あり、利益あり。肝に銘じたいものです。

老けない話し方のコツ❷

ネガティブ表現は必ず別の言い方に置き換えよう

高齢者の会話にはどうしても「病気・病院・相続・墓地」の話が出てきてしまいます。同様に高齢者ならではの口癖というものもあります。残念ですが、それは極めてネガティブな表現です。

「どうせ」、「もう」、「私なんか」、「寂しい」、「疲れた」、「辛い」、「もうダメ」などなど。

致し方ありません。墓場が確実に近づいてきているのは事実ですし、長年酷使した身体も故障が多くなって当然です。

ただ、言霊と言うように言葉には魂が宿り、ともすると言葉が環境や人間性を形成するといっても過言ではありません。**言葉は心して使えば、心に希望の種をまいてくれるものである**ことも忘れてはいけません。

そして、何よりも話を聞かされている人間にとって、暗い表情でネガティブな言葉を連発されたら、心がふさぎ暗い気持ちになってくるでしょう。できればこういう人とはなるべく接触したくないと思われても当然です。また、複数人でお互いに愚痴や不安を吐き出しあっていると、ネガティブが倍増どころか2乗されてますます絶望の沼から這い上がれなくなってきそうです。高齢者同士であっても、ネガティブな表現は意識して使わないようにしたほうがいいでしょう。

でもNGワードにがんじがらめにされると、思ったことが表現できなくなるでしょうし、発散もできなくなります。

そこでお勧めしたいのが言い換え表現です。

「コップにもう半分しか水が残っていない」と言うのか、「まだ半分も水が残っている」と表現するのか、端的に言うとこの違いです。ネガティブな表現をポジティブな表現に置き換える癖がつくと、表情まで明るくなり行動にも変化が起きてくるかもしれません。いくつか具体例を挙げてみましょう。

「もう年だし疲れた」↓「精一杯燃焼し尽くした充実した人生を送ってきたことがひとつの誇りだ」

「年だからもう無理」↓「できることだけやろうというわがままが許される年頃にようやく差し掛かった」

「もういいや」↓「お陰様でいつまでも待とうという忍耐力がついてきた」

「当たり前だ」↓「何事もありがたいと思えることに感謝している」

「頑固な人は嫌いだ」↓「ぶれない人だと思う、好き嫌いはあるにしても」

「いい加減な奴だから」↓「あのおおらかさは買いだと思う」

「身体がつらい」↓「酷使してきた身体は根を上げることもあるけれど、気持ちだけは負けたくないと思っている」

「寂しい」↓「人とにぎやかにやることが一番好きだが、孤独は想像力を養ってくれるということに近頃気づいた」

この実例が、すべて思ったことを反映しているとは言えないかもしれませんが、もしも会話の中に後ろ向きな表現が増えてきたと自身で感じたら、自分でノートを作ってみましょう。最近、口をついて出るネガティブ表現の言い換えを考えながらノートに書き出してみて、それを実際の会話の中で使ってみるのです。

人にかける言葉も大切ですが、自分が自らを語る言葉も同じように重要なのです。

老けない話し方のコツ❸

自慢話は2フレーズで終えよう

他人がありがたいと思うひとり語りは、基本的に有益性を兼ね備えた講演会だけと思ったほうがいいでしょう。

私が、毎年万障繰り合わせて出席している忘年会があります。

外食業やフードライターなど食関連の人々の集まりなのですが、第一に店のチョイスがいいので食事が美味しい。さらに、会の終盤には食のオーソリティと歴史研究家による10分間スピーチが用意されているのです。来年の外食産業はどうなるか、来年話題になるであろうレストランはここだという予測を外食評論家が語り、新年スタートのNHK大河ドラマの時代背景や主人公についての解説を歴史家がしてくれる。役に立つばかりか、自分が話をする時のネタ元にもなる話が満載なのです。酔いが回った頭にもかかわらず、慌てて手帳を取り出しメモを取ります。私だけではなく、大半の人たちが箸袋や紙ナプキンに筆を走らせています。

こんなふうに役に立つ話は、人はお金を払ってでも聴きたいものです。

反対に、他人の自慢話ほど退屈なものはありません。もちろん、自慢話をしたからといって、さすがにすぐに嫌な顔をして立ち去ったり、上の空になる人はいないでしょう。基本的に人間とは優しい生き物。他人の功績や幸せをともに喜びあえる存在です。関係性が濃いほどその傾向は強まるでしょう。

しかし、限度があります。

いつもいつも、自分や家族の自慢話、昔の功績を語られたら誰もがうんざりします。やがては疎んじられ、会合にもお呼びがかからなくなるでしょう。

例えば、孫自慢。孫の成長を喜ぶ気持ちにはもちろん共感できるでしょう。が、KY老人だととにかく話が長い。長いだけでなく、孫は有名病院で生まれ、孫の母親である自分の娘は有名私立大の出身といつしか自慢のオンパレードと化してしまうことも珍しくありません。この手の話になると口角泡を飛ばし、語り出したら止まらない。周囲はしきりに酒を口に運びながら話が終わるのを待つだけです。

昔の仕事の功績話から学ぶべきことが全くないわけではないでしょう。成功の秘訣が織り込まれていることもあると思います。ところが、往々にして「昔取った杵柄」話には誇張という脚色がなされていて、ほぼ役には立たないものです。もちろん親しい人々の集まりで、自慢話めいたものがご法度というつもりはさらさらありません。

もし、何らかの自慢をしたかったのなら、**自らの語りは2フレーズほどにとどめて、後は周りの人間に質問させる**ことです。

これが鉄則だと心得てください。

「孫が初めてつかまり立ちをしたんだ」

「こんなささやかな日常から幸せを感じられるってこの歳にして初めて知ったよ」

これで十分なのです。具体的にイメージするとしたら、俳優の故・高倉健さんになったつもりで、ポツリとややはにかんだイメージで。これはなかなか効果的な手法です。

あとは、インタビューを受けるつもりでみんなの質問に答えればいいのです。よほどリテラシーの低い人間の集まりでなければ、周りから「わあ〜、いいですね。お孫さんは何カ月ですか?」「男の子?女の子?」「ママであるお嬢さんはお仕事も続けているんですか?」などなど、普通だったらさまざまな質問が飛んでくるはずです。

語り始めて、質問のひとつも出ず、周囲の相槌だけで時間が過ぎていくのならば、自分の話は歓迎されていないと心得るべし。

人間の集中力は通常約3分で切れます。それ以上になりそうだったら、一旦話をやめて今度は聞いている人たちに何か質問を投げかけてみましょう。「ところでY君のところのお嬢さん、そろそろ初めての誕生日じゃないか」などと。

自分が聞く立場であったならば退屈しないだろうか、あるいは他人にとって有益な情報が盛り込まれているだろうかと自らに問いかけ、そうでなければ短いフレーズで切り上げるのです。

質問が出ない長話は疎まれていると心得るべし。

常にこのことを胸に手を当てて問いかけましょう。

老けない話し方のコツ❹

短いフレーズで歯切れよくテンポよく、が若見せのコツ

学芸会で老人の役が回ってきたら、子供たちはどんな役作りをするでしょうか。白髪のかつらをつける、腰を曲げて歩く、ゆっくり喋る。まずは、この3点を取り入れればとりあえずは老人に見えるはずです。「わしゃなあ〜、若い頃はなあ〜、それはそれは…」という具合に語尾をのばす緩慢な喋り方はまさに老人のそれでしょう。

若々しい喋り方を心掛けたいのなら、ズバリこの逆を行くことです。短いフレーズで、歯切れよくテンポよく喋る。これができたなら、話し方のうえで確実に10歳

は若返ります。

ところで、落語家、講談師、声優、時にアナウンサーは喋りや読みに**「緩急・強弱・高低」といった技術**を取り入れて、臨場感を醸し出す工夫をしています。臨場感の演出ではなくても、プレゼンなどの時、数字を伝える時などは、自ずとその部分をゆっくり喋ったり、何度か繰り返したりするのです。始終同じ調子だと、どこが大切なのか聞く人々には伝わりません。

「緩急・強弱・高低」の駆使の仕方でいうと、人気の講談師・神田伯山さんはこのスキルが卓抜していて見事としか言いようがありません。喋りだけで、例えば武士の乗った何十頭もの馬が大挙してこちらに押し寄せてくる様をものの見事に再現するのです。夜遅い時間に墓場の近くを歩いていると何やら青い炎が揺らめいている、こんな描写も驚くほど巧みです。場合によっては、観客は映像を見るよりリアルな光景を脳裏に再現でき、思わず背筋が寒くなります。

こんなふうに、**言葉ひとつであるイメージを聞く人に想起させることも可能**なのです。おじいちゃん、おばあちゃんの喋り方というのはどこか郷愁を呼び覚まし、温もりがあってそれはある種尊いのですが、ビジネスの場面でははっきり言って不利でしょう。現役で活躍する人ではなく、隠居老人とみなされても仕方がないと思います。

「政治は言葉」というように、政治家の中には寄席に通って説得力のある話し方を学ぶ人も少なくありません。実際、このような場所で名の通った政治家に遭遇したこともあります。

喋り方で頭ひとつ抜けたいのなら、当然のことながら努力が必要です。これまでの喋りをより良いものに変えたいならば、心掛けと努力なくして変化は起こりません。

短いフレーズで、歯切れよくテンポよく喋る。

このことを常に心がけ、自己練習するくらいの心意気が欲しいものです。

老けない話し方のコツ❺

昭和の話は鉄板ネタ、自信を持とう

テレビのバラエティ番組に呼ばれると20代・30代の若いタレントさんと一緒になることがあります。スタジオの前室のいわゆる「たまり」と呼ばれる場所で、ふとしたことでバブルの頃の話になると彼らは目を輝かせて質問してきます。

「タクシーがつかまらない時、1万円札をヒラヒラさせながら車を止めたって本当ですか?」

そう言えば、帰りの足がなくて困った挙げ句使った手法でした。当時、当たり前というほど浸透していた事象ではないにしても、**我々が日常的にやっていたことが平成生まれの彼らからしたら異次元の世界の出来事のように興味深い**のです。お立ち台の上で羽根の扇子を振り回しながら踊りまくる、私自身それほどディスコ通いに夢中になっていたわけではありませんが、写真でしか見たことのない光景を、その時代に生き、実際に体験した者から聞くのは、これまた身を乗り出す価値があるらしいのです。

1990年後半から2000年代後半に生まれたZ世代があらゆる意味で注目されています。現在15歳から24歳くらいまでの若者を指すのですが、彼らは独特の感性で流行をつかみ、購買力を持ち始めています。ファッション業界や音楽業界、はたまたテレビ業界においても彼らは大切なお客様なのです。彼らのハマる音楽は電子音で奏でられ、架空キャラが歌うボカロミュージックだったりしますが、その一方で、数年前から音楽や文化において彼らの間には昭和ブームが起こっているようです。

それに先行して2010年代の末あたりから昭和のシティポップが、新しい音楽としてリリース当時を知らない若者の間でしきりに聴かれています。若い歌手がこの時代の歌をカバーしていることもあって、若い人たちの中には驚くほど昭和の歌を知っている人たちもいます。先日もカラオケで同席した20代前半の女の子たちが、久保田早紀さんの「異邦人」や八神純子さんの「水色の雨」を巧みに歌うのを聴いてびっくりしました。

音楽だけではありません。昭和レトロの喫茶店でクリームソーダを注文する、「写ルンです」のようなカメラがエモいと評判になるなど、生まれた頃からデジタルに親しんだ彼らが、不便さや懐かしさの中に新しさや再発見を見つけているのだそうです。若い人と一緒になると話題に困るなどと言っている場合ではありません。

ともすると**昭和生まれのあなたは、興味津々のコンテンツの宝庫**なのです。

老けない話し方のコツ❻

臭いですべてが台無しにならないために

せっかくより良い話し方を心掛けていても、それを台無しにしてしまうのが口臭です。自分では気づきにくいので、家族や親しい人にチェックしてもらったほうがいいでしょう。

口臭の原因として歯周病など歯の病気に起因するものも少なくないといいます。虫歯になってから歯医者に駆け込むのではなく、**年齢を重ねたら自分の歯を少しでも長く残せるよう、定期健診のつもりで歯科通いをする**ことをお勧めします。

私自身、60歳を過ぎてから、遅まきながら3カ月に1回、歯科医院で歯のチェックとクリーニングをしてもらっています。歯科医院では歯周病を防ぐために、毎日歯間ブラシを使うよう指導されました。当初は面倒でしたが、今では就寝前の歯磨きの時、歯間ブラシを使わずにはいられなくなりました。いくら丹念に磨いたつもりでも、歯と歯の間に詰まったものを見つけて愕然とすることがあります。

また、意外と見過ごされるのが、舌の表面につくコケ状の細菌のかたまり、舌苔《ぜったい》です。これも口臭の原因になり得るので、起床時、欠かさず舌用ブラシで手入れをしています。

強い口臭には消化器などの大きな病気が隠れていることもあるそうですから、気になる時は医師に相談することをお勧めします。

付け加えれば、**加齢とともに唾液の分泌量が減り、口内に細菌が繁殖しやすくなることも口臭の一因**になるといいます。日頃からよく嚙む習慣をつける、ガムを嚙むなどの工夫、唾液腺を刺激するマッサージ、舌を回すエクササイズをするなどの心掛けで唾液の分泌にも気を配りたいものです。

ところで臭いと言えば、口臭にとどまりません。いわゆる加齢臭にも充分注意を払いたいものです。その昔、仕事仲間たちと飲みに行った時、ある女性のことが話題になったことがありました。60代のその人はとてもその年齢には見えず、美しく華やかで若やいでいました。「あんなふうに歳を重ねられたらいいなあ」と私。するど、彼女をよく知る医師がポツリとこう言ったのです。

「でも彼女、老人臭がするんだよね」

私は我がことのようにドキリとしたことを昨日のことのように覚えています。

老人臭で思い出すのは、おばあちゃん子だった私が、幼いころ祖母の布団で一緒に寝ていた時のあの懐かしい独特のおばあちゃんの匂いです。

若い人からは決して発散されない、お年寄り特有の臭い。臭いの専門家ではありませんが、おじいさんからもおばあさんからも漂ってきて、おじいさんとおばあさんでは臭いが微妙に異なっているように感じました。

ちなみに女性の場合は、年齢による女性ホルモンの低下が臭いに関係しているそうです。女性ホルモンが減ってくると相対的に男性ホルモンの働きが活発になり、皮脂の分泌が促進され加齢臭が強くなるのです。若いうちはせっせとシャワーを浴び、オーデコロンをたっぷり振りかけて出掛けていたものですが、年齢を重ねるにつれ、お風呂が億劫だという人も多いでしょう。1日おき、2日おきなんていう人もいるようです。でも考えようによっては、**若い頃以上に身体を清潔にする必要があると**思います。

また、日本人は特に年齢を重ねると男女とも香りをつけている人が皆無に近くなりますが、いくつになっても自分のお気に入りの香りを纏《まと》いたいもの。「あの人、老人臭がする」なんて言わせては男（女）がすたるというものです。

老けない話し方のコツ❼

文字が書いてあるものは片っ端から音読せよ

日本抗加齢医学会所属のある口腔医学の専門医の方と対談させていただいたことがあります。

この先生はカラオケのアンチエイジング効果に注目されていて、実際にその効果について調査研究をされた時のお話を聞かせていただきました。お年寄りに好きな曲を3曲ほど歌ってもらい、唾液の量およびその中に含まれるコルチゾールというホルモンを測定したら、唾液の量は増えコルチゾールは減少していたそうです。

コルチゾールという物質は生体にとっては有益な一方、強いストレスがかかると増大するそうで、血糖値を上げたり、免疫力を低下させたり、良質な睡眠の妨げになったりもするそうです。よって、コルチゾールの低下は好ましい変化と言えそうです。

唾液の分泌量の低下は、加齢とともに実感することがあると思います。強い緊張を強いられた時にも唾液は出にくくなります。

実は、唾液には抗菌作用のある成分や消化酵素・成長因子など大切なものがたくさん含まれているのです。唾液の分泌量が増えるということは健康上も、また滑らかな喋りにも欠かせないということになります。

また、**好きな歌を歌った後はドーパミン、アドレナリン、オキシトシン、エンドルフィンなど、脳内のいわゆる幸せホルモンが増加する**という報告もあるそうで、これは素人でも何となく想像がつきます。

また、当然表情筋を使うわけだから、ほうれい線の予防効果も期待できそうです。

そんなわけで、いいことずくめのカラオケにできるだけ繰り出したいものですが、一緒に行く人がいない、人前で歌うのが恥ずかしい、ひとりカラオケは嫌だなど、人によってはハードルが高いイベントかもしれません。ちなみに私はアンチエイジング効果、滑舌効果、美容効果などを得るために、かなり頻繁にひとりカラオケに出掛けています。

そんなわけで、そう頻繁にカラオケには行けないという人のためにお勧めなのが音読です。

新聞でも週刊誌でも読みかけの小説でも、とにかく目に入るもので、文字が書かれているものは声に出して読んでみましょう。それもボソボソと小さな声で読むのではなく、一音一音をはっきりと発音し、聞いている人に伝えるがごとく、そう朗読会で読むような心意気で読んでみましょう。カラオケと違って、コストも全くかかりません。

また、**読むことは実は非常に頭を使う行為**なのです。瞬時に文意や内容を把握して、どこを強調して読むべきか、また長い文章はどこで切るべきか、とくに長々しくしかつめらしい役職名などはどこで間隔をあけるべきか、頭をひねるものです。よって、本職のアナウンサーは原稿を手渡されると、まずそれらに留意し、赤ペンを入れながら読みます。そこまでする必要はないでしょうが、目で文字を追いながら、内容を把握しながら音読するという行為は頭の体操にもなります。当然、唾液量を増やしたり、表情筋を動かすことにもつながります。

もう少し本格的に朗読を楽しみながらやってみたいのなら、明治大学教授の齋藤孝さんの著書でベストセラーになった『声に出して読みたい日本語』がお勧めです。吟味された美しい日本語の文章が、ルビ付きで掲載されていて、リズムやテンポ、響きを楽しめるような構成になってもいるので、もしかしたら好きな曲を歌っている時のような気分になれるかもしれません。

声に出すことの楽しさと大切さを、ぜひ存分に味わっていただきたいものです。

老けない話し方のコツ❽

差別発言で自滅する政治家を教訓とせよ

「時代は大きく変わったからね〜」

あらゆる時代の変化に関して、年配者の会話にはどこか他人事のような響きが感じられます。もし本当にそう感じているのなら、自分自身が変わっていかなければならないと思います。

昭和生まれで、1970年代にテレビ局という民間企業に就職した私は、今でいうセクハラが日常茶飯事の中で生きてきました。そもそもセクハラという言葉さえ存在しなかった時代です。

「まだ結婚しないの?」「早くいいお嫁さんにならないと売れ残っちゃうよ」など

など、この類いの言葉は耳にタコができるほど聞かされてきました。これらの言葉を発する方もおそらく悪意はなく、純粋に当時の「行き遅れ」の行く末を案じていたのだと思います。可愛がってくれていた上司の口からも幾度となく聞いた言葉です。

おまけにテレビ局という軟派な職場であることも相まって、「きみ、おっぱい大きいね」なんていう言葉も、不愉快には思いつつ、つっかからずに聞き流す術《すべ》も自ずと身につけたものです。当然、度を過ぎたものは抗議しましたが、常に孤軍奮闘の状況でした。男性上司に相談でもしようものなら「君がスキを見せたからじゃないの？」と言われるのがオチでした。

この時代に生きたことの恩恵があるとしたら、うら若き乙女であった自らを自分で守るための、知恵と自己防衛力が身についたこと。今でも、いくらお酒を飲んでも決して酔わないのはその名残です。

話はそれましたが、当然上記のような発言は現代の職場においては、イエローカード、もしくはレッドカードに相当します。どういうペナルティが科せられるのか、会社勤めをしていない私には不明ですが、「セクハラ上司」の烙印を押されて周囲から敬遠されることだけは間違いないでしょう。

ところで、何度も繰り返される政治家の差別発言には呆れてものが言えません。しかも、自らの主義主張に関わるもので、どんなに非難されようと撤回することができないというようなものは影をひそめ、低レベルの差別発言が目につくのはどうしたことでしょう。曲がりなりにも議員は「選良」です。どう考えても「選良」失格としか思えない発言を以下に並べてみました。

「集団レイプする人はまだ元気があるからいい。まだ正常に近いんじゃないか」

「女性にハイヒール・パンプスの着用を指示する、義務付ける。これは社会通念に照らして業務上必要かつ相当な範囲かと」

「お子さんやお孫さんにぜひ子供を最低3人くらい生むようにお願いしてもらいたい」

この中には大臣職にあった人の発言も含まれます。怒りを通り越して、もはや人間として滑稽にさえ思えてきませんか。こんなことをどんな場面であれ、迂闊《うかつ》に口にするような人間には政治に関わってほしくないものです。

新しいところでは首相秘書官がＬＧＢＴＱなどの性的少数者や同性婚のあり方について「見るのも嫌だ、隣に住んでいるのも嫌だ」と発言して更迭されました。多様性を認める流れは全世界的に定着していて、これは止められないし、止めるものでもないでしょう。心の中で思うことは自由です。よしんばこの流れに賛同できなくても、罵詈雑言《ばりぞうごん》めいた放言をすべきではありません。それが時代の流れをつかむということでしょう。それができないということは、議員としてのみならず、大人として社会人として失格だと思います。

我々アナウンサーは差別発言に関して厳しく教育されたものです。**口に出していいこととといけないいことを峻別《しゅんべつ》することは、大人として身につけるべき見識**です。女性蔑視が問題視されることは定着してきましたが、性的マイノリティに対する差別、あるいは男性蔑視も、多様性の時代に鑑みれば口にしてはいけないことだと分かるはずです。

「シーラカンス的差別主義者」と言われないために、残念ながら政治家の失言から学ぶ機会はまだまだありそうです。

老けない話し方のコツ❾

見た目の印象が足を引っ張らないように気を配ろう

見た目の重要性を説いた「メラビアンの法則」をご存じでしょうか。

アメリカ、カリフォルニア大学ロサンジェルス校の心理学の名誉教授であるメラビアン氏が1971年に提唱したコミュニケーションの概念です。話し手のどのような情報が聞き手の印象を左右するのかということについて彼は壮大な実験を行ったのですが、結果は視覚情報55％（見た目、しぐさ、表情など）、聴覚情報38％（声の質や大きさ、話す速度など）、言語情報7％（会話の内容など）でした。ビジネスシーンなどでもよくこの法則が引用されます。

ただ、何も非言語コミュニケーションのほうが言語コミュニケーションに勝っているので、話の内容よりも見た目に気を配りなさいと言っているのではないことを強調しておきたいと思います。基本的に話の内容や聞き取りやすさで言語コミュニケーションは成り立ちますが、時には見た目が足を引っ張ることがある。だから身だしなみなど見た目にも気を配らなければ損をしますよという解釈でいいでしょう。

ここで、高齢期にある人の見た目の上での特筆すべき注意点を挙げてみましょう。年を重ねるにつれ、高価なブランド品で武装することは無意味に等しいと私は思います。それよりも**その人が重ねてきた年輪が、好ましい形で顔に刻まれていることのほうがより価値がある**と思うからです。

さらに、高齢者の場合、**気にかけるべきは一にも二にも清潔感**、これに尽きます。至近距離で向かい合って話をする時、高齢の男性で往々にして気になるのが、「手入れをされずに好き放題に伸びた顔のムダ毛」です。鼻の穴からしっかりのぞく鼻毛、伸びきって瞼に届きそうな眉毛、ふと横を向くと耳の中からも毛が……。いかにも外見に無頓着に見えて減点ポイントになることは間違いありません。理髪店などで手入れをしてくれるところもあるでしょうが、ひとまず自分でお金をかけずに手入れのできる箇所です。最低限の身だしなみとして気をつけましょう。

また、清潔感を欠く印象を与えるものとしてメガネの汚れも挙げられます。ベタベタついた指紋に無頓着でいられる感性は紛れもなくマイナスポイントです。

男性でいえば、意外と気になるのが手元。ささくれだった指周りや、汚れのたまった爪などは言葉の説得力の邪魔にこそなれ味方にはなりません。もしお金をかけるのであれば、ブランド物の高価なネクタイをする代わりに男性も通えるネイルサロンなどで爪回りを手入れしてもらうことをお勧めします。

別項でも述べた口臭とともに、汚い歯も減点ポイントです。たばこのヤニがべっとりついたような歯も、語る内容の足を引っ張ること間違いなし。女性でいうと、歯についた口紅、入れ墨で仕上げた不自然な眉などが減点ポイントでしょう。男性同様に不潔感は、その人を好印象から遠ざけます。好感度の高いメークはどうすべきかというお話は本書の目的からは外れるので省きます。

また服装についてですが、老人になるとなぜ男も女も朽ち葉色の服しか着ないのか、疑問に思うとともに残念です。

私自身はふたつの理由で近年、鮮やかな色の服しか纏わないことにしています。

ひとつは、コロナ禍がきっかけです。世界中の人々がこの疫病に苦しみ、困難な生活を余儀なくされました。命を落とした人も、今なお後遺症に苦しむ人もいます。おまけに戦争も勃発し、暗く停滞した世に生きる運命に置かれたのであれば、せめて自分の着る服くらいは明るい色にして自らを鼓舞するとともに周囲も照らしたい、そんな思いに至ったからです。

もうひとつは、SNSで見た故エリザベス女王のいで立ちです。女王はいつもハッと目の覚めるような鮮やかで美しい色の服を纏っておられました。白髪に若草色やフューシャピンクが驚くほど似合っていて、**鮮やかな色は意外にも高齢者に合う色である**ことに気がついたのです。

占い師や色の研究をしている人の中にはいつも黒ばかり纏っていると幸運になれないと言う人がいます。真偽のほどは定かではありませんが、私にとって着たくない色が暗黒色ということもあって、それらの暗い色は処分したり、クローゼットの奥に追いやってしまいました。

人は見た目が9割とも言われます。それは決してすべてではありませんが、真理をついていることだけは肝に銘じましょう。

老けない話し方のコツ⑩

歩けば舌も滑らかになる

「歩きなさい」と主治医の先生などに推奨される機会は多いと思います。ウォーキングの効用は改めて述べる必要もないくらいですが、例えば私の手元にある専門医の著書から抜粋してみましょう。

「運動はほどほどに。一番いいのは散歩です。（中略）幸せホルモンといわれるセロトニンという脳内物質が分泌されるのです」（和田秀樹著『80歳の壁』より）

まだまだあります。

「1日30分のウォーキングで長寿遺伝子をオンにする」（白澤卓二著『100歳まで長寿美人』より）

「エスカレーターより階段を使え。（中略）hGHヒト成長ホルモンが分泌されることが分かっている」（坪田一男著『老けるな！』より）

とまあ、これはほんの一例にすぎません。もちろん、心肺機能の維持や改善、血中脂肪や血糖値、血圧にもいい効果をもたらし、骨を丈夫にするためにも歩くことが推奨されています。いずれにしても、**アンチエイジングの専門家たちがこぞって歩くことを勧めている**わけです。

また、和田先生は上記の著書でこんなことも書かれています。

「過度な運動は体内で活性酸素を作り出し、錆びた状態にさせてしまうので、特に高齢者には散歩がちょうどいい」と。

私自身のことを少々お話しさせていただくと、毎日驚くほどよく歩きます。８年前まで元気のいいビーグル犬を飼っていた名残で、よほど忙しくない限り、朝30分以上の散歩は欠かしません。それ以外でもなるべく歩くようにしているので、スマホの万歩計の歩数は毎日平均して７０００歩以上になります。

実は愛犬を亡くし程なくして、友人の勧めで気学を習い始めました。奥の深い学問で、復習を怠ったため残念ながらその知識はほとんど身についてはいませんが、唯一気学を学んでから現在も実行していることがあります。

それは日盤吉方《ひばんきっぽう》といって、その日の自分の吉方位に行く開運行動です。便利なアプリをインストールしているので、その日の吉方位が一目瞭然です。あらかじめ南西の日はどこ、東の日はここと場所を決めていて、そこでお茶を飲んで（自動販売機の缶コーヒーのこともありますが）帰ります。行く場所は各方位、家から15分くらいのところと決めていますが、日々行くべき方位が異なっているので、飽きることなく続けられています。

朝以外にも原稿の執筆に行き詰まった時、あるいは翌日の講演で何を話そうかと迷った時など、私は必ず散歩に出ます。前述の専門医たちの言うように「セロトニンや成長ホルモンが分泌され、長寿遺伝子がONになる」こともあってか、頭の中にはアイデアが次々と浮かんできて、机の前でいくら頭をひねっても出てこなかった構想が面白いようにまとまるのです。

そういえば、最近電車内の広告で見た書籍の宣伝文句にもこんな一文を見つけました。

「考えごとは歩きながら！　アイデアの量と質が高まる」と。やはり間違いないようです。

老けない話し方のコツ⓫

話題の宝庫・新聞をもっと活用しよう

人と話すのが苦手という人がいます。

その理由を聞くと「何を話していいか分からないから」が最多です。仲間内ではけっこう饒舌《じょうぜつ》なのに、初めての相手だと「何を話していいのか話題が見つからない」となるのでしょう。

現役世代であれば、たとえ人と話すのが苦手でも、会合やパーティなど出ないわけにはいかなかったかもしれません。会話が苦手なりに共通の知人の名前を出すなどして何とか切り抜けられていたかもしれません。でも、一旦現役を退くと無理して出掛ける必要はなくなります。何も自分が不得手な「初めての人と話す」ことをせずともすむことになるのです。
「ああ、よかった」ではすみません。

これが危機の始まりなのです。ヤドカリが巻き貝の穴の奥に身じまいしてしまうように、一旦奥に入り込んでしまうと、いざ外に出るのは一苦労になります。出欠ハガキには思い切って出席に○をつけたけれど、直前になると気が重くなって、何か理由を探して懸命に出席するのを回避しようとしたりする。ただでさえ外出の機会が減ってしまったというのに、折角の人と触れ合うチャンスを放棄してしまう。実にもったいない話ではないでしょうか。もったいないどころか、こうやってただでさえ進行中の退化や老化をより加速させているのです。

さて、初めての人と何を話していいか分からない人にお勧めなのが、新聞を1紙くまなく読むことです。くまなくというのは最初から最後までなのですが、たとえ1紙とはいえ新聞の文字数は膨大な量。1紙とはいえ真剣に読んでいたら一日仕事になってしまいます。だから、どうしても頭に入ってこないところは飛ばしてかまいません。

私自身、毎朝新聞を最低2紙読んでいますが、金融に関する内容はどうも苦手で、よく飛ばしてしまいます。そんなに根を詰めて真剣に読む必要はないのです。最初のページから最後まで、興味を持った箇所だけで十分です。

ただ、**新聞にはあらゆる年代・性別・職業の壁を超え、この国に暮らす人たちに共通の話題が盛り込まれており、これほど最適な話題の教科書は他にはありません。**

ただ、ご存じのように各紙イデオロギー的にはかなり主張が異なっています。特定のニュースの取り上げ方が大きかったりあるいは小さかったり、また社説の論調が正反対ということもあるので、そのあたりには注意が必要です。

しかし、政治・経済・世界情勢から暮らしのヒント、スポーツ・芸能情報と、硬派な話題から親しみやすい話題まで、毎日アップデートされる話題の宝庫が新聞です。流して終わりのテレビと違って文字として残るので、たとえば、サッカーのFIFAワールドカップ2022スペイン戦でゴールを決めた選手の名前は誰だったっけとなった時など、文字でしっかり確認できて、必要とあればスクラップしておくことも可能です。誰かと会話する際にも、より詳細で正確な話ができるわけです。また、誰かに話すことにより、その話題はだんだんブラッシュアップされていきます。つまり、**人に話すことによって、話のポイントが整理できたり、数字や人の名前も記憶として定着してくる**のです。別の人に話す時は、その前の人にウケた部分を膨らましてみる、あるいはやめたほうがよかったなと思う部分は削る、そんな編集をしてみるのもいいかもしれません。

話題の宝庫である新聞からテーマを見つけて、自分なりの言葉で誰かに話してみる。脳が活性化されること間違いなしです。また、人との輪に入って話すことで、さらに脳が活性化され、表情にも嬉しい変化が訪れるかもしれません。

自らの努力でできるこうしたことの積み重ねで認知症を遠ざけようではありませんか。

老けない話し方のコツ⓬

「読み・書き・話す」が一体化すれば教養ある話し方になる

熟成された言葉とは「読み・書き・話す」のバランスによって編み出されると思っています。

社会生活を送るうえで、まず話すことができなければ生活は成り立たないわけで、海外に出た時、いかに言葉が通じるかに私たちは腐心します。とりあえず、買い物をする、レストランで食事をする、親しい友人と会話を楽しむなどの場面で、その国の言語が喋れれば特段不便を感じることはなくなります。

しかしながら、話が通じれば生活に不自由しないからといって、単純な話し言葉だけに安住していると、言葉は往々にして底の浅い薄っぺらいものになってしまいます。10代、20代の若者ならまだしも、歳を重ねるにつれそれは決して褒められたことではなく、魅力を半減させる要因にもなりかねません。

ズバリ言います。**優れた話者とは「読み・書き・話す」のバランスの取れた人**なのです。

例えば、テレビに登場するコメンテーターや解説者、評論家の中には政治や経済に関する込み入った内容の話を、整然と分かりやすく語れる人が多く、感心させられます。こういった人々の多くは大学教授だったり、新聞社や出版社の元記者だったり、いずれも文字に関わる仕事をしている人が圧倒的に多いように思います。何冊も本を出していたり、論文や記事を書いたりと、読んだり書いたりが当たり前の人々です。それゆえに、話が分かりやすく整理され、深いのだけれども分かりやすいのです。

私自身は長年にわたってテレビのコメンテーターの仕事をしてきました。例えば、テレビで昨日の夕食の内容について語ってほしいと言われたら、タレントとして多少面白おかしく聞こえるための工夫は施しますが、基本的にはありのままを語ればすむ話です。

しかし、岸田政権の安全保障政策について話を振られたらそれなりの準備がないことには語れません。まずは、新聞や本など資料となるものを紐《ひも》解いて、事実や背景を読み込んだうえで自分の考えを言葉にまとめます。そして、それをノートに書き留めたり、台本の余白に書くのです。さらに完成度を高めるために、前述の専門家には遠く及びませんが、最近の時事ネタをテーマにして自分の連載に、エッセイに書き、自らの考えを完璧に練り上げてまとめておきます。それをしなければ、「防衛費の増大は戦争の危険性に備えて致し方ないことだと思います」といったひと言程度しか語れないことになってしまいます。

読むことによって知識を蓄え、書くことによって考えをまとめ、それを話し言葉として放出する。プロの手法かもしれませんが、話すことでステップアップしたいと思うのなら、ぜひ頭の片隅に置いて実践していただきたいと思います。

何度も繰り返しますが、**歳を重ねた人間の武器はその人が何を語るか**だと思います。ギャンブルの話しかできないオジサンや、おかずの話しかできないオバサンにはなりたくないものです。

老けない話し方のコツ⑬

まだ間に合う、人間関係の幅を広げよう

年齢に関係なく、人は易きに流れるものです。そして、歳を重ねればそれは加速するのではないでしょうか。すべての判断の中心に「楽であること」が居座ってしまうのです。

人間関係も同様です。同性、同年齢、古くからの知り合い、元同僚。さしたる緊張感なく付き合えて、自分のことを理解してくれている、いわゆる気が置けない仲間といると楽ですし元気にもなれます。もちろん、それはそれで何物にも替えがたい貴重な存在です。家族以外で男性であればネクタイなしで、女性であれば化粧も

せずに会える相手というのは、終生大切にしたいありがたい存在に違いありません。

でも、そういった仲間とばかり付き合うという、言えば生ぬるい環境に甘んじていてはいけません。時にはそれを打ち破る勇気とパワーを失いたくないものです。

その後の余生をうら寂しいものにしないためにもです。第一、**多少の緊張感を伴う環境でなければ、コミュニケーション力を向上させようという気持ちも湧いてきません**。刀は常に使い続け磨き続けないと、やがて切れない無用の長物と化します。

もっとも、ある年齢に差し掛かると気の置けない仲間たちも櫛の歯が抜けるように一人欠け、また一人というふうに残念ながらこの世から去っていくのも現実です。

やがてすべての仲間を失ってしまえば、後に待っているのは孤独との戦いであり、誰とも会話をせずに過ぎていく日々です。早く自分にもお召しがくればいいのにと嘆きながら、消化試合のように残りの日々を過ごす。そんな現実が待ちかまえているかもしれません。

外見も中身も老け込む一方のこのままで本当にいいのでしょうか。

そして、特に男性は定年退職による会社との縁の切れ目が人間関係の切れ目にもなりかねません。人と会うのは年に1回の同窓会くらい、ということになってしまうかもしれません。ところが、そのハレの同窓会の場でさえ、一人淀んだ暗い雰囲気で思うように人と馴染めなかったり、会話が転がらず孤立してしまったりと、せっかくの年に1回の同窓会さえ二度と行きたくなくなったらどうしましょう。老化は一層進み、負のスパイラルから抜け出せなくなるでしょう。

では、そうならないためにはどうしたらいいのか。願わくは、**社会にアクセスしているうちに趣味などを通じて積極的に社外に仲間を作っておくべき**です。分かりやすく言えば、少々よそいきの雰囲気やいでたちで会う仲間を獲得しておくのです。あるいは、常に新しい友人を獲得しようという意欲を持つことです。少々緊張感をもって人と接する時には、誰もが身だしなみや臭いにも注意を払います。話題や情報を持ち合わせていないと輪の中に溶け込めないから準備もするでしょう。

この本で述べたことも知識として知っているだけでは全く意味をなしません。実践してなんぼのものです。

そして、飛び込むサークルや新しい友人は年齢や性別を超えた多様性があればあるほど、刺激にも学びにもトキメキにもなります。

イキイキとひと口に言いますが、それは勇気と努力なくしては手に入らない代物なのです。

老けない話し方のコツ⑭

言葉の誤りを誰も指摘してくれなくなる怖さ

ある高名な評論家の講演を聴きに行った時のことです。「イッチョウイチユウには改善できないわけです」という一言にひっかかりました。「イッチョウイチユウ？」、文脈からすると「一朝一夕・イッチョウイッセキ」であることは間違いありません。おそらく読み方を間違って覚えたまま今日まできてしまったのでしょう。

他人のことは言えません。私自身も読み方や言葉の意味を間違って覚えていることはよくあります。ただ職業上、当たり前のように使っている言葉を改めて辞書で引くことを習慣にしています。最近はスマホで調べられるので便利になりました。

意外と読み方や意味を間違って覚えている語彙は多いのではないでしょうか。さすがに一朝一夕をイッチョウイチユウとは読みませんが、例えば「おざなり」と「なおざり」の使い分けを混同していることにある時気づいてハッとしたことがありました。少々ややこしいのですが、

「おざなり」→その場しのぎでいい加減ではあるが何らかの対応はする

「なおざり」→おろそかいい加減にし、多くの場合何の対応もしない

これが正しい使い方です。

つまり、「しつけをおざなりにする」はいい加減なしつけしかしていない、「しつけをなおざりにする」はほったらかしにしてしつけもしていない、ということになるのです。

ところで、漢字の読み間違えを度々することがある有名政治家がいるのですが、その人が間違えた読み方がネットで一覧表になって公開されているのには驚きました。完遂（カンスイ）をカンツイ、順風満帆（ジュンプウマンパン）をジュンプウ

マンポ。まあこのあたりの間違いをする人は少なくないと思います。しかし、怪我をカイガ、未曾有をミゾユウ、踏襲をフシュウと言われると聞いているほうが頭を抱えたくなります。

そして「偉い人」になると、たとえ間違っていても周囲は指摘しづらくなります。「偉い人」に恥をかかせてはいけないという忖度が働くわけです。奥さんが「あなた、恥ずかしいわよ」と注意してくれればいいのでしょうが、妻も言えない立場なのか、あるいは一緒に過ごす時間が皆無に等しいのか。いずれにしてもさまざまな局面において裸の王様状態になることは気の毒なことではあります。

こうなったら、たとえ**躊躇《ちゅうちょ》なく使っている語法や読み方であったとしても、改めて調べる**ことを強くお勧めします。そうでないと、前述のように誤用の一覧表が作られるという不名誉な事態にもなりかねません。

アナウンサーとして人生のスタートを切った私は、新人時代に語法や読みの間違いをすると、先輩諸氏から完膚なきまでに叱られたものでした。当時、生放送で読み間違いなどをしてしまった場合、部内にある連絡ノートにそれを自分で記録しなければならない決まりがありました。私も若い頃、いくつかミスを犯してこれに記入したものです。例えば「完遂をカンスイと読むべきところ、カンツイと誤って読んでしまいました。以後気をつけます。申し訳ありませんでした」と書くのです。

ところがある時、「申し訳ありません」を間違って「申し分ありません」と書いてしまったのです。部内でも一番厳しい先輩に呼び出され、長時間にわたり、それはそれは厳しくたしなめられたものです。君には言葉を扱う資格がないとまで言われてトラウマになってしまい、いまだに「申し訳ありません」と書く時は軽い緊張が走ります。

大地震→オオジシン、大震災→ダイシンサイ、依存→イソン、異存→イゾンなど間違えやすい読み方を挙げたらそれこそキリがありません。誰も指摘してくれなくなり、心の中で舌を出されているなんて、何とも面目ない話ではないでしょうか。

ある年齢に達したら語彙の総点検をお勧めします。

老けない話し方のコツ⓯

欲望には忠実であれ、そして、迸《ほとばし》るように語れ

欲望の強さと生命力は比例する。

高齢になっても精力的に活動し続ける、ある人の話になりました。

「実は彼、お金と女性が大好きでね。あの年でも若い女性が近くに来るとさりげなく手を握るんだそうだ」

やっかみ半分なのかもしれませんが、卒寿も近い人の話となるともはや恐れ入りましたとさえ言いたくなってしまいます。こういう話は珍しくはなく、健啖《けんたん》家で金銭欲と色欲が人一倍強く、なおかつ息長く第一線で活躍している人の例は枚挙にい

とまありません。「年甲斐もなく」という言葉なんか聞き流すべきなのかもしれません。

詰まるところ、食べることとお金と異性に目がない人が勝ち残るような気がします。お金でも異性でもお洒落でも、何か人間、執着するものがあると、当然情報にも敏感になります。例えば、資産運用に余念がなければ、当然、金融情報をかき集めようと必死になるでしょう。そして利殖の話ともなると、待ってましたとばかり熱弁を振るえるわけです。

ところで、人を動かし、感動させ、さらには圧倒させる人の話し方には共通点があります。それは「迸る」ように言葉が口から、身体から溢れ出てくるということです。下記にあげる人たちが欲望をたぎらせて生きているかどうかは別として、例えば小泉元総理。まさに迸るような語りは多くの国民の心をつかんでやみませんでした。

小泉さんが総理になるかなり前のこと、まだヒラの議員の時代も含めて3回ほど講演を聴いたことがあります。そして3回とも内容は金太郎あめのように同じでした。郵政民営化の必要性と議員の永年勤続表彰は必要ない、この2点をとてつもない熱量で3回とも強く主張したことを今でも覚えています。実際、総理になってどちらもやり遂げたわけです。それほど強い信念を燃やしながら、自分がなすべき政治課題を少しもぶれることなく持ち続けたのです。信条を強く掲げる生き方はその言葉にも力強さがみなぎっています。

語る内容には毀誉褒貶《きよほうへん》があるものの、橋下徹さんの語りもまさに迸るかのようです。

高齢になっても、なお口角泡を飛ばし熱弁を振るう田原総一朗さんもしかり。欲望を強く持てと言うとあまりにも直截的ですが、**強い思いをたぎらせて生きることで、言葉がパワーと説得力を帯びる**ことは間違いないと思います。

「今さらお金だの女性だの言っている歳でもないよ」と、こんな人の言葉に私は熱さを感じられませんが、皆さんはいかがでしょうか。

老けない話し方のコツ⑯

人やモノの名前が出てこない時は、連想ゲームの出題者になったつもりで楽しもう

話の最中、人の名前が出てこなくて困ったという経験をほとんどの人が日常的にしていると思います。そして年齢が上がるにつれて、その頻度も増えてきます。

私の場合、若いころから人の名前を覚えるのが大の苦手で、よほど特徴がある名前か、あるいは「岸田さん」「文雄さん」のようにシンボリックな誰かに紐づけられる名前でないと覚えられたためしがありません。

一方、話の中で芸能人など著名人の名前を持ち出そうとして出てこないということは、高齢者でなくとも、かなり多くの人に見られます。こちらにも私は当てはま

ります。人の名前だけではなく、地名・書名・映画のタイトル、ひいては「もの・こと」と森羅万象に及び、「ほら、あれ。なんと言ったかな」が会話の中に何度も登場することになります。これればかりは致し方ありません。

では、こんな状況をどのように切り抜けたらよいのでしょうか。

会話中に「ほら、あれ。ほら、それ」ばかり連発していたら、お年寄り扱いされることでしょう。努力してモノや人の名前を覚えても、記憶の引き出しから臨機応変に引っ張り出せなければ意味がありません。

コツは連想ゲームです。連想ゲームの出題者になったつもりで、できるだけ多くのヒントをひねり出すことです。例えば、２０１６年に解散したＳＭＡＰというグループの名前が出てこなかったとします。その名前にまつわるもので、自分が思い出すものを片っ端から羅列しましょう。「木村拓哉さんがいたグループ」と言えばＳＭＡＰならこれで一発でしょうが、例えば、「世界に一つだけの花」「元ジャニーズ」「中居正広さん」「草彅剛さん」「５人組」などなど、頭に浮かぶありとあらゆるワードを繰り出すのです。

もはや、自分が思い出せないのを助けてもらうのではなく、相手が答えられないのを助ける感じでヒントを与えるのです。**一人で思い出せないことを苦しんだり、劣等感を抱くのではなく、相手を引き込むゲームにしてしまう**というわけです。思い出せないことが一つのお楽しみにさえなり得ます。

また、私のように一度名刺交換した人の名前が、次に会った時全く出てこなくて困った場合の対処法ですが、間違っても「どちらさまでしたでしょうか？」と言ってはいけません。相手の自尊心を傷つけることにもなりかねません。親しそうに話しかけてくる相手と何とか話をつないで時間稼ぎをします。そのうち、どこの誰だったかが分かってくることも多い。さらに相手の会話の中に、「このあいだね、知り合いから田中さん、いいことを教えてあげようと言われてね」なんてズバリ苗字が飛び出すことも珍しくありません。こうなったらしめたもの。その際はすぐに飛びつくのではなく、別れ際に「じゃあ、田中さん、また」と言いましょう。

どうひねり出しても出てこない時はこんな奥の手もあります。「この間、私、姓名判断を受けてみたんです。それで、もっと運が開けるという名前を付けてもらったんです。なにやら苗字と名前を足して38画がいいんだそうです。苗字は変えられないので、名前の画数を変えるんですが、あれ、あなたはどうなります？」とやれば成功率は高い。焦る前に頭をひねってみましょう。

また、名前をどうしても覚えておかなくてはならない人の場合、せめて下の名前だけでも覚えておく。人によっては、「次郎さん」「由紀子さん」と下の名前で呼ばれることを好む人もいます。ちなみに私は大好きだったアイドルの名である「翼」という名に限って、男性でも女性でもたちどころに覚えられます。

要は**ハンデを逆手にとって楽しむ**、この心意気です。

老けない話し方のコツ⑰

「あ〜、え〜」は個性と心得て気にしない。話す内容がモノを言う

人前で話す時「あ〜、え〜」をできるだけなくしたい。よく耳にする悩みです。「あ〜、う〜」というと思いだすのが、岸田首相の出身派閥の大先輩で「あ〜う〜宰相」といわれた大平正芳元総理大臣。鈍牛宰相とも言われ、見た目や喋り口調はその名の通り、切れ者からは程遠いイメージでした。

しかし、喋りこそ滑らかではありませんでしたが、実際は知性溢れる哲学者のような人だったと言われています。決して雄弁ではないのですが、味わいのある話し方の首相という印象が、私自身の記憶の中にも残っています。

極論を言ってしまえば、**話し方とは個性の発露**です。「あ〜、う〜」が多かろうと、訛りがあろうと、それはその人自身の個性なのです。個性的な話し方がその人の印象をより際立たせます。ですから、**誰もが二人といない自分の声や話し方に胸を張っていい**のです。

アナウンサーのような話し方をしなければという強迫観念にとらわれるから、余計な劣等感を抱いてしまいます。それは損なことだと思います。アナウンサーの喋りというものは、放送において伝達すべきことが万人の耳に届きやすいということが第一条件で、そのための訓練を受けた人がさらに分かりやすく喋るわけです。アナウンサーの喋りが必ずしも魅力的な話し方だと私は思いません。

要は、「あ〜、え〜」も一つの個性ととらえて必要以上に気にしないことです。それよりも、何を語るかが最も重要なポイントであるということを忘れないで下さい。

そうは言っても、「君のプレゼン、『あ〜』とか『え〜と』ばかりでかなり聞きにくかったぞ」なんて言われるとそれは気になるものです。

解消のためのコツはふたつです。

まずは、とことん練習すること。

日頃スピーチやプレゼンに不慣れな人が、つなぎ言葉も差しはさまずにスラスラ喋れるほうが不思議です。有名政治家のようにいくつも会合をかけ持ちして、その都度スピーチを頼まれるような人は場慣れしていて確かにうまいのです。迫力や説得力もあり、笑いもちゃんと取れます。場数を踏めばこういうことも可能でしょうが、普通の人はスピーチのかけ持ちをするような機会はまずありません。だとしたら、繰り返しますが、とことん練習を積むことです。

原稿用紙1枚400字で、だいたい1分間のスピーチ原稿になります。スピーチの基本は時間の制約がない限りおよそ3分。つまり、原稿用紙3枚分の原稿を自分で書いて何度も何度も練習をするのです。できれば練習をしたうえで、家族に聞いてもらえればなおいいと思います。結婚式のスピーチを頼まれたのなら、新郎もしくは新婦を称える自分しか知らないような、とっておきのエピソードをひとつ盛り込みます。

スピーチは突然の指名で、いきなり喋り始めるように見えますが、事前の依頼なしにアドリブということはまずありません。必ずそれなりの準備をしているものです。練習を積めば、自ずと、「あ〜、え〜」は減ります。あとは、個性と割り切って、すべてを駆逐しようとはしないことです。私自身もコメンテーターとしてテレビで喋る時、頭の中できちんとまとまっていることは、比較的つなぎ言葉は少なくてすみますが、よくまとまっていないことをいきなり振られると、やはり「あ〜、え〜」となってしまいます。

そして、もうひとつの**ポイントはセンテンス（文章）を短くする**ことです。

句点で区切って、ダラダラと喋らないこと。こうすると余計なものが入りにくくなります。しかし、基本は頭の中で話がまとまっているという条件つきではありません。一文を短くしたうえで、「あ〜」を差しはさみたくなったら、ぐっと我慢して間を取ることでとどめてみるのもひとつの方法です。これでかなり解消されるはずですが、何と言っても要は中身です。

話す内容に自信さえあれば、あとは個性と心得てあまり気にしないことです。

老けない話し方のコツ⑱

人と話す時 話題に困るなんて言わせない

日頃の憂さや悩みは誰かに話すことで発散できます。持つべきものは友人ですね。

しかし、常に憂さ晴らしの話ばかりされたら相手もたまらないでしょう。嫁の悪口、夫に関するグチ、我が子の悩みなどなど。共有できる話ゆえに、確かに盛り上がります。でも、毎回毎回この類の話となると、聞かされるほうはうんざりします。噂話やグチは絶対ダメなどとは言いませんが、やはり、豊富な話題で人の心をつかみたいものです。

では、何を話題にすればいいのでしょうか。新聞は老若男女に通用する話題の宝庫だと前述しました。参加するグループの世代別など、さらに**ピンポイントの話題を持っていきたかったら、雑誌から拾う**ことをお勧めします。そうすれば、例えばスポーツジムでアラサーの若い女性と一緒になっても、美容の話に花を咲かせることだってあり得ます。

ご存じのように特に月刊誌はある層にターゲットを絞り、その層が関心を持つ記事を集めています。若い女性向きであれば恋愛と美容とファッション。ビジネスマン向けであれば政治・経済といったふうにです。週刊誌となるともっと対象は幅広く、より広い客層を狙っています。女性週刊誌だったら大雑把に言って芸能情報と料理、男性週刊誌だったら政治家のスキャンダルや健康、お金の話といったところでしょうか。若い男性に限っては、あまり雑誌を読まない傾向にあるので、ここだけは空白地帯ですが、女性アイドルや安くてウマい店あたりだと一般的に飛びつきやすいでしょう。

昨今はいちいち雑誌を買わなくてもネットでほとんどの雑誌に安価でアクセスで

きます。例えば、ドコモのｄマガジンなどです。自分の興味のあること以外の雑誌に目を通すことが話題を広げるためのコツです。ビジネス誌で円安の話に目を通すとします。別に自分が雑誌から受け売りの為替の話をとうとうとする必要はありません。もしビジネスの最前線にいる人と話すことになったら、雑誌に書いてあったことを思い出してこちらから質問すればいいのです。

「日銀総裁が替わったって聞きましたけれど、少しは景気がよくなるんでしょうかねぇ」「また急激な円安になることはあるんでしょうか？　オリーブオイルが高くて買えなくなるわ」

気張って難しい話をする必要はないのです。こんな感じで充分。それでも、押し黙っているのとは月とスッポンほど違います。美容院や病院の待合スペースで**雑誌を広げる時も、ただ漫然と読むのではなく、ネタを拾うつもりで読めば大いに会話の助けになる**わけです。

気になるものは、断って写メを取らせてもらえばいいのです。「あの人は話題が豊富で面白いわ」と言わせたいのなら、そのくらいの積極性と努力は不可欠です。

　さらに、若い人が関心を持つ話題の宝庫と言えば、土曜日のＴＢＳの若者向け情報番組「王様のブランチ」をお勧めします（関西地区など放送されていない地域もありますが、ＴＶｅｒ・ティーバーという民放の無料配信サービスで視聴できるので、興味のある方はトライしてみてください）。ファッションやグルメの新店情報などが満載。映画や新刊書籍の情報をはじめ、若い男性が興味を持ちそうなお手軽な韓国ファッションの店などを取り上げることもあります。

　その気になれば周りには話題があふれ返っています。要はあなたの好奇心と心掛け次第なのです。

老けない話し方のコツ⑲

Happy people live longer

「Happy people live longer」（幸せな人間はより長生きをする）。

日本抗加齢医学会という名称で、全国の内科から美容外科まであらゆる診療科の医師たちが1万人近く名を連ね、抗加齢（アンチエイジング）について研究・発表する医学会があります。私は長年この医学会の仕事を、市民公開講座のナビゲーターなどの形でお手伝いさせていただいています。

懇親会などで乾杯をする時、抗加齢医学会の先生方は「乾杯！」ではなく、「Happy people live longer」と高らかに声を出しながら乾杯の盃を挙げることがあり、さすが抗加齢医学会だなあと感じる次第です。素人考えでも、幸福な人は不幸な人より病気になりにくく、長生きもするだろうと想像できます。実際、そのようなエビデンスも数多く存在するそうです。癌の患者さんに落語を聞いてもらって免疫力を高めるといった試みがあるという話も聞いたことがあります。心と体の健康のためにも、幸福で笑いの多い人生であるに越したことはありません。

しかし、禍福はあざなえる縄のごとし。どんな人の人生も幸せなことばかりではないでしょう。ややもすると試練や辛いことのほうが多いかもしれません。だったら、そんな人生少しでも多幸感を味わったほうが得だとは思いませんか。

では、どうすればいいのでしょうか。

年齢を理由にせず、自ら人生や生活を楽しむことだと思います。いや**年齢を重ねているからこそ、楽しいことや好きなことだけするわがままが許される**のではないでしょうか。中年の頃は、生活習慣病を防ぐために、医師から厳格な食事制限を言い渡された経験があるかもしれません。でも高齢期になれば、たとえカロリーが高くとも、栄養豊富な好きなものを食べ、免疫系統が強化されることを推奨する医師が多くいます。

また、「年甲斐もなく」「いい歳をして」「世間体があるから」などという言葉もよく耳にします。でも、ここまで生きてきて若い頃よりも格段に図太くなってきているのは事実なのですから、こんな窮屈な制約を笑い飛ばすくらいの心意気でいたいものです。歳を重ねても大方のことは謙虚であるべきでしょうが、この点だけは開き直ってもいいのではないかと思うのです。

ただでさえ艱難辛苦《かんなんしんく》の多い人生、多くのしがらみから解放された今こそ、人に迷惑をかけさえしなければ好きなことをして自由気ままに生きたいものです。**幸福はどこからか運ばれてくるものでは決してありません。自分の心の持ちよう次第で感じられるもの**だと思うのです。

そして、自らが幸福を感じられるからこそ、発する言葉も前向きなものになり、周囲を明るく照らすことができると思うのです。

老けない話し方のコツ⑳

若者はわれらの師である

若い者に対して居丈高になる。あるいは女性や若い人を「オンナコドモ」と馬鹿にする。

年長の男性にしばしば見られる傾向ですが、嫌われるばかりか軽蔑の対象にすらなるでしょう。若い人を経験の未熟な連中としか見ないのは偏見であり、誤りだと断言します。

確かに未熟には違いありません。しかし、昭和の人間とは大きく異なった環境に生まれ育った現代の20代半ば前後の若者からは学ぶべきことも多くあるのです。

例えば、前述しましたが１９９５年から２０００年代後半に生まれた人々は、Z

世代と呼ばれ、いろいろな意味で注目されています。これまでの人々とは異なった消費行動で、今後の消費をけん引していくだろう世代と見られているためです。スポンサー企業がZ世代を強く意識し始めたため、最近のテレビ番組はZ世代を取り込む作りになっています。例えば、討論番組でも20代の若者や大学生を参加させる番組が目につくようになってきました。

彼らは、生まれた時からデジタル機器やデジタル環境に慣れ親しんでいます。例えば、私などは自宅で視聴するのはテレビですが、Z世代の息子はまずテレビを観ることがありません。そのかわり、ソーシャルメディアであるユーチューブやニコニコ動画を日常的に視聴しています。サッカーのワールドカップの時だけは、さすがにテレビの前に座っていましたが、決してテレビだけを観るわけではありませんでした。私のように受け身でテレビにかじりつくのではなく、テレビをつけながらも、ユーチューブでサッカーに詳しい素人の解説を並行的に見聞きし、同時にSNSで友人たちと感動を分かち合いながらと、なんとも慌ただしいのですが、とにかく多元的に試合を楽しんでいるのです。

その昔、我々がお茶の間で家族そろってテレビを観ていた時のように、遠く離れた友人たちと番組を共有するという対話性を伴ったメディア視聴が形を変えて再来したのかもしれません。

こんなふうにテレビの見方ひとつとっても、旧人類とは大きく違います。もしかしたら**我々の進化系とも言える彼らからは、逆に学ぶことが多々ある**のです。まさに若い人は老人の師であるという発想が必要な時代なのだと思います。

若者の前で謙虚になれて、素直に教えを乞うことができる年長者でありたいものです。

老けない話し方のコツ㉑

ひと手間で格の上がる話し方

ぞんざいな喋り方が、時に魅力になる年齢はとっくに過ぎました。**丁寧な話し方や上品な話しぶりは歳を重ねた人の大きな武器になります。**

まず、一人称ですが、男性なら「僕」「おれ」女性なら「あたし」。もし公の場で自分をそう呼んでいるのなら、男女とも「わたくし」に変えるべきです。普段の仲間内であれば、「おれ」だろうが「わし」だろうが一向にかまいません。ただ、初対面の相手に対しては「わたし」さらには「わたくし」のほうが、格段に格が上がります。我が身を「わたくし」と呼ぶと何となく背筋も伸びるし、服装にもより気を配りたくなるでしょう。このように上品な話し方というものは、ちょっとしたこだわりから醸し出せるのです。

さらに、「返事ありがとう」「お菓子ありがとう」。日常的に我々が使う言葉ですが、ここに「を」を入れるだけでかなり違ってきます。「返事をありがとう」「お菓子をありがとう」となると、より丁寧な印象に変わってくる。さらに品よくその上を行きたいのなら、「ありがとう」ではなく「どうもありがとう」、「よろしくお願い致します」ではなく「どうぞよろしくお願い致します」、「お大事に」ではなく「どうかお大事に」と言ってみましょう。丁寧に聞こえるだけではなく、そこに心から願う気持ちが言葉に乗せられ、たったひと言の違いで相手が受ける印象も変わってくるはずです。

もっとも、言語にはリテラシー（解釈力・理解力）というものがあるので、全く伝わらない相手も確かに存在します。しかし、リテラシーの高い人には必ず届く話法だと思います。

たったひと言の手間を惜しまずに、積極的に実践していただきたいと思います。

老けない話し方のコツ㉒

人に「言葉のプレゼント」を贈ろう

言葉を使ったコミュニケーションにはさまざまな目的があります。「お願い」だったり、「お断り」だったり、「説明」だったり……。このように目的が決まっている時は、できるだけ言いたいことを直球で簡潔に述べることです。余計な尾ひれは、かえって混乱や曲解を招くことになります。

お断りの言葉は、誰もが心苦しく言い出しにくいもの。しかし、「～なんですけれども」「～したのですけれども」と弁解めいた言葉をたくさん乗せたところで、それが救いになることはありません。だったら、まずできないという結果を伝えるほうが誠実でしょう。ひと呼吸して、「残念ながらご希望には沿えません」と、この現実をはっきり伝えるほうが忖度の言葉をまぶしまくるよりも誠意ある態度だと言えるのです。できない理由はお断りしたあとで、羅列すればいいだけのことでしょう。

言葉は用途に応じてできるだけシンプルに、これが基本です。

そして、特に用事や目的のない時の人とのコミュニケーションにおいては、言葉は相手への贈り物なのだといつも思っています。別項でも、褒めることの効用や自分自身を鼓舞する言葉の効用について書きました。**人とのコミュニケーションで心掛けるべきは、笑顔とポジティブな言葉。**このふたつさえ押さえていれば、言葉は人への贈り物になり得るのです。

人は想像以上に他人からかけられたネガティブ言葉に対して脆弱です。特に弱っている時にその傾向は強くなります。

私には20代後半の頃、過労で体調が長らく芳しくない時期がありました。でも、仕事を休める状況ではなく、体調の悪いまま仕事を続けていました。肌は荒れ、明らかに顔色も悪く生気もない。そんな時、仕事で一緒になったある演歌歌手の人に言われました。この人は、悪気のないいつも大変親切な人でした。

「どうしたの、美希ちゃん。顔色がものすごく悪いわ。私のコンシーラー貸してあげるから塗ったほうがいいよ」

友情から言ってくれたことは痛いほど分かりました。でも、体調が悪いことは自分で一番強く感じているわけです。人から見てもやはり病人にしか見えないんだ、と思うと心底落ち込みました。

こんな経験から具合の悪そうな人に対して、嘘までついて励ます必要はないけれど、どこか鼓舞するような言葉をかけるように心がけています。笑顔で「今日も頑張ろうね」のひと言でいいと思うのです。本人から「調子が悪くて」と打ち明けられた時は、笑顔で「ドンマイ！」と返す。その場で自分にできることは、前向きな言葉を贈ることしかないからです。そして、それがその場でできる最善の方法だからです。

一方、他人の慶事に対しては「おめでとう」「素晴らしい」と、笑顔で精一杯の賛辞と祝意を贈ります。

人にかける言葉は、あなたからの贈り物と心得て下さい。時には、どんな高価なプレゼントより喜ばれるかもしれません。

人から好かれる人とはこんな人だと思うのです。

老けない話し方のコツ㉓

「脳への食事」、忘れていませんか

学びをやめたその瞬間から、人間の成長はストップすると思っています。最終学歴となる学び舎を卒業してからの年数がそれ以前の数倍の長さになる人にとって、もはや、どこを卒業したかはあまり大きな意味を持たないでしょう。学歴よりも現在もなお学び続けているということのほうが格段に意義深いことであり、その人自身が胸を張れることだと思います。

身体には食事を通して栄養を送り込み、運動をすることで鍛える。そうやって我々は少しでも老いや病気から遠ざかろうとします。

脳もまた同じなのです。認知症の決定的な治療法や薬は、残念ながら今のところ確立されていませんが、少しでも脳に新しい刺激を与え、新たな情報を送り込むことによって、身体のほかの部位と同じように活性化されることは間違いないでしょう。

例えば、本を読むという知的活動は脳の刺激になるだけでなく、感動を得たり、情報をつねにアップグレードすることになるはずです。人生を豊かなものにしてくれるばかりか、人とのコミュニケーションにおいても役に立ちます。**見知らぬ土地や人との出会いが心を活性化してくれるように、新しい本との出会いは脳を活性化してくれるはずです。**この世は知らないことだらけで、学校で学んだことは、「知のもくじ」程度のものだったのだなあと歳を重ねてしみじみ思います。

ただ、学生時代はレポートの提出期限や試験があって、学ばないと許されないような環境に置かれていました。

ところが現役から引退してしまうと、学ぼうが学ぶまいが誰からも何も言われません。試される機会もないでしょう。要は自分の心掛けひとつで学ぶか学ばないかが決まるのです。

ところで、テレビなどで日本の戦後史を解説したり、文学の歴史についての蘊蓄《うんちく》を語る人が、見る限り相当な年齢だろうなあと思い調べてみると、80歳前後だったりすることはザラです。超高齢者でありながら、ずっと年齢が下の人々と議論したり、淀みなく解説ができるのは、その方が常に知的な挑戦を怠らず、学び続けているからに他ならないと思います。

時折、年齢を重ねた女性から「どんなクリームを塗ったらシワが目立たなくなりますか？」と聞かれることがあります。自分の肌に合う合わないはあるでしょうが、現在の日本で流通している化粧品は厳しい基準をクリアしており、値段にかかわらず優秀なものがそろっています。おまけにクリームは栄養を与えるものというより、化粧水などで保湿した肌の水分を逃さないようにラップをするのが主な役目です。

豪華なボトルに入った高額なクリームを買うよりも、そこそこの価格のものを購入して、余ったお金で文庫か新書を1冊買って読んだほうが、表情も輝き、よほど美しくなれますよといつもアドバイスしています。知識を蓄積すれば、おのずと話題に事欠かず、語る事柄にも深みが加わります。

栄養豊富なものを食べて身体を健やかに保つように、脳にもたくさんの栄養（知識）を与え、好奇心に溢れた衰え知らずの人になりたいものです。

老けない話し方のコツ㉔

質問とは知らないことを聞くだけのものではない

初対面の人と話さなければならない時や会話をつながなければならない時、質問する力を身につけておくと上手く乗り越えられます。

多くの人は質問とは分からないことを聞くことだと思っています。確かに警官に道を聞く、塾の先生に数式の説き方を質問するなど、まさに知らない、分からないことを聞くのが質問の本質ではあります。

しかし、**会話というコミュニケーションにおいては、質問とは会話を転がす最高の小道具**なのです。

例えば、「どこに住んでるの？」「荻窪（東京都杉並区の地名）です」「あ、荻窪に美味しい中華の店あるよね。行列ができる」「○○園ですか？」「そうそう」というふうに、住んでいる所を聞くというたわいない質問で会話が転がり広がっていくものです。そうかと言って、相手の居住地に関して自分が何らかの知識があるとは限りません。「群馬の前橋です」と答えられたら、「ああそうですか」で終わってしまうかもしれません。また相手が女性だった場合、男の人が初対面で気軽に居住地を聞けるとも限らないでしょう。

そこで、「質問する力」の出番です。**質問力の基本は「褒める」こと。**しかし、「わあ〜、素敵なスカーフですね」、これでは「ありがとうございます」で終わってしまいます。「わあ〜、きれいな色遣いのスカーフ！　輸入物でしょ？」という調子で褒めるだけではなく、必ず尋ねる。

「どこで買ったのか」「いつ頃買ったのか」「どこのブランドか」

スカーフひとつで質問事項はけっこうあるし、話も盛り上がりやすい。スカーフ談議が下火になったら、「まあ、同系色のお靴も素敵！　同じブランド？」と広げていく。特に女性の場合、身につけているものだけでけっこう話が広がるものです。

さらに言えば、スカーフの話はほんの着火剤。相手との空気が温まってきたら、趣味や世相といったもっと深い話に入って行けばいいでしょう。

繰り返し言いますが、決して褒めて終わってはいけません。必ず「聞く」のです。もちろん、自分が知りたいか否かなんていうことは二の次。ここが道を尋ねるのとは大きく違います。

男性同士の場合、

「いやあ、景気が悪くて会社も渋くなりましてね。うちは出張回数を月イチに減らせと。御社はいかがですか？」

相手が不快に感じないであろうことなら何でもざっくばらんに聞けばいい。

「うちの会社は出張が無制限で」という答えが返ってきたら、相手の会社を称賛すればいいのです。聞く、褒めるという基本はスカーフでも景気の話でも全く同じです。景気の話だったりすると比較的盛り上がりやすいでしょう。また、必ずしも相手にまつわる質問でなくてもかまいません。

誰もが知っているであろうビッグニュース、古い話で恐縮ですが、例えば「バイデン大統領がウクライナを電撃訪問しましたね」、こういったニュースを相手に投げかけてみる。別項に書いたように新聞である程度の知識は仕込んでおきます。「80歳というバイデンさんの年齢」「10時間を超える隠密の列車移動」「2人だけ同行を許した記者にはゴルフの招待と言って誘い、途中で携帯を没収した」など特筆すべき話は、新聞から拾えば山とあります。そして最後に、話をこんなふうにもっていけばさらに盛り上がる。「ところで、我が国のトップもキーウ訪問がかなってよかったですね」と。うまくいけば話はとめどもなく広がり、共感で初対面の人とも心がつながっていくでしょう。

質問力を磨いて、会話の達人になっていただきたいと思います。

老けない話し方のコツ㉕

さらに上を行く質問力

仕事上、私はインタビューをする立場にもされる立場にも置かれます。自分が聞かれる立場の時、優秀で心底感心するインタビュアーと答える気がそがれてしまうような未熟なインタビュアーとふたつのタイプが存在します。不思議なものでなかなかその中庸という人はいないものです。

未熟なインタビュアーから私はいつも学ばせてもらいます、「絶対こうはならないようにしよう」と。つまり、こういう人はインタビューする相手について、ほとんど下調べをしていないのです。私ごときが「これまでの私の仕事歴をしっかり辿ってきてからここに来て下さい」とはおこがましくてなかなか口にできませんが、それでもウィキペディアを読んだだけとしか思えない知識で質問してくる輩には失望して、答える意欲は完全に消失してしまいます。

余談ですが、私のウィキペディアには出生地が誤って北区と記載されていた時期が長くありました。本来は世田谷区で、別に北区だろうが世田谷区だろうが一向にかまわないのですが、「生まれ育った北区の思い出は？」なんて質問されると、ウィキからの情報だとすぐに分かって勉強不足に誤情報が重なって、よりカチンと来てしまうのです。

このような経験から自分がインタビュアーになった時に、強く肝に銘じていることがあります。それはゲストについてとことん調べるということです。

2018年から3年間、毎週ゲストを迎えるニッポン放送のラジオ番組を担当していました。芸能界・スポーツ界・芸術の世界などで活躍する著名人を毎回招くのですが、ほぼ全員、著作を持つ人で、なかには1冊2冊ではない人もいました。収録だったのですがその時期があっという間にやってくるので、ひとりの人の著作をすべて読み切れなかったこともありました。しかし、基本的には寝る時間を削ってでも、すべての著作、ＤＶＤなどに目を通してからゲストをお迎えする姿勢を貫きました。プロとしてはいちいち披露するような話ではなく、ごく当たり前の下準備だと思います。

例えばある著名な映画監督は、お母さまが大の映画好きで監督がお腹の中にいる時も盛んに映画館通いをしていたということを著作から知りました。番組に来ていただいた時、監督への最初の質問は「監督は胎教がそもそも映画鑑賞だったとか」というものでした。このひと言で初対面であるにもかかわらず、監督は胸襟《きょうきん》を開いて下さり、話は大いに弾み、盛り上がったまま番組収録を終えることができました。

ほぼ毎回このパターンで努力した分、貴重な話をたくさん聴くことができて、個人的にも実り多い忘れがたい体験でした。

ここに記したような教訓を生かす場面は、日常生活の中ではあまりないかもしれません。でも、もし目上の人や名士などと話す機会が巡ってきたら、ぜひ参考にしてください。

相手に関する徹底的な下準備が大きな功を奏するということを。

老けない話し方のコツ㉖

コミュニケーションツールが広げる人間関係

高齢者がコミュニケーションの輪から疎外されやすいのは、コミュニケーションツールが限られていることにも由来するのではないかと思います。パソコンのメールアドレスを持っていなくて、連絡手段は携帯電話とＦＡＸだけという人もいるでしょう。

私自身は原稿の校正紙に手直ししたものなどをＦＡＸで送ることはありますが、あらたまって手紙に準じるようなＦＡＸを送るとなると正直、腰が重くなります。さらに、家族や友人ならともかく、会ったばかりの人に連絡を取る時、いきなり電話をするというのは考えられません。その場で仕事の話をいただいたりしたら話は別ですが、それ以外に用事もないのに電話をするなんてあり得ません。

たまたまこちらが名刺を切らしていて、一方的に名刺をいただいてしまった高齢の男性に「申し訳ありません。名刺を切らしておりますので、戻りましたらメールをさせていただきます」と言ったらメールはやらないとのこと。「ではこちらにご連絡ください」と自分の名刺の端に携帯番号を書いてくれたのですが、電話をかけることはなく、こういう場合はそれっきりになってしまいます。

頭も身体もイキイキと若々しく保っていたいと思うなら、友人の存在は極めて重要です。特に歳を重ねたら新しい友人は宝だと思ったほうがいいと思います。

機密情報のやり取りをするのでなかったら、やはりＬＩＮＥは便利です。若い時のように異性に警戒心を抱く必要性も減ってきているので、ＬＩＮＥくらいは男女を問わずオープンに教えて差し支えないと思うのですが、もちろんどこに罠が潜んでいるか分かりません。手軽な分、交換する相手は慎重に吟味すべきでしょう。昨今は詐欺などの危険もないわけではないので、心配なことがあったら即、娘や息子に話すべきです。子供が何かにつけお父さんお母さんに相談するように、年齢とともに立場が逆転してしまうようになったら、**我が子は自分の保護者と心得るべき**です。何かあった時、保護者が把握しているのといないのとでは大きく異なります。

ＬＩＮＥ、ＳＮＳのメッセージ機能、携帯メールなど、使いこなすことができたら、この上なく便利です。

若い人に教わって、進んでコミュニケーションにおける「便利革命」を起こしてほしいと思います。

老けない話し方のコツ㉗

ガムの意外な効用について

人が舌を動かしている時、脳も活発に動くと言われています。だから、いくつになってもよく喋る人は若々しい。年齢を重ねてもテレビで活躍している方々の顔が浮かぶと思います。

口まわりの筋肉や舌を活発に動かすことはシワやたるみ防止に効果があるだけではなく、脳のトレーニングにもなるというわけです。

ただ、一人暮らしをしていたり、そうそう外出の機会がないという人は喋る機会も自ずと減ってきます。表情筋や舌をあまり動かさないまま一日が終わってしまうということも少なくないでしょう。そうならないためにも、発声練習や音読、あるいはカラオケで歌うことなどを強くお勧めしたいと思います。

もうひとつ、**舌や口まわりを動かすためにお勧めしたいのが、噛むこと**です。昔はお年寄りでもスルメや煮干し、堅いせんべいなど、固いものを平気で噛んで食べていたように思います。明治生まれの私の祖母などその典型で、すっかり歯が衰えてしまうまでは、とにかく固いものを好んで噛んでいました。

しかし現代では、老若男女、あまり固いものを好まなくなりました。お肉ひとつ買うのでもより柔らかい肉を探し求めます。明治生まれの祖母に育てられたにもかかわらず、私自身もスルメや煮干しが得意ではありません。また食事はよく噛むよう教えられて育ったにもかかわらず、せっかちなので早食いのほうです。

そんなわけで、私はよくガムを噛みます。

実は**ガムを噛むと記憶力が高まる**という実験結果があります。明治大学理工学部の小野弓絵教授が准教授時代に神奈川歯科大学と共同で行った「ガムチューイング」と記憶に関しての実験です。20代から70代までの男女1188人に対し、ガムを2分間噛んだグループと何も噛んでいないグループに分け、記憶力のテストを行ったそうです。すると高齢者ではガムを噛んだグループのほうが明らかにテストの正答率が高かったそうです。

まさに舌を動かせば脳も活発に動くということが証明されたわけです。

最近は歯科専用品の噛み応えのあるガムもあります。ガム以外にも、舌を思いっきり出したり、口の中で舌を回す「舌の体操」も習慣化したいものです。音読とともにガムを噛んで、表情筋と脳の衰えを防ぎましょう。（＊参考文献『100歳まで長寿美人』白澤卓二著　中央公論新社）

老けない話し方のコツ㉘

60歳を過ぎたら新人のつもりの物言いを心掛けよ

定年退職する前は「長」のつく地位にいた人は多いと思います。社長・会長・部長・店長……。特に「長」のついた地位にあった人は肩書なしの人生に心もとなさを感じることも多々あるでしょう。また「長」のプライドを捨てられない人が、特に男性に何と多いことでしょう。

しかし、肩書を失ったことを喪失ととらえてはいけません。ヒラに戻れたことを大きなチャンスととらえるべきなのです。

「大還暦」という言葉があります。人間の年齢が120歳を迎えることです。中国古来の数え方によると人間の一生は60年で1周します。また人間の寿命は最長120年あると考えられていて、**61歳からは2周目の人生が始まる**ことになるのです。**新たに踏み出す人生に余分なお飾りはいりません。このお飾りを潔く捨て去られるか否かで、疎まれる老人と愛される老人に分かれる**のです。昔の肩書を捨てられずしがみついているがゆえに疎まれる人には大きな特徴があります。

何でも人にやらせる癖がついていて自分で動こうとしない。偉そうな態度で下の人間を見下す癖がある。昔の自慢話や説教が多い、などです。

環境は全く変わったのです。それを認識し、適応していくことです。これができる人は、いつまでも若々しい人でいられると思います。

また肩書にふさわしい人格や能力を蓄えた人であれば、自ら吹聴したり偉そうな態度を示さなくても周囲が自ずと敬意を払うものです。たとえそうであったとしても、それさえもご遠慮申し上げるといった態度で、謙虚さを忘れず下支え的な仕事でも率先して動ける人間になりたいものです。

何せ2周目という未知の世界に突入している分際です。もちろん、これまでの経験は生かすべきですが、対人関係においてはくれぐれもヒラのつもりでいることです。再び気楽なヒラを楽しめるのですから喜ぶべきでしょう。

だから、若い人とも対等のつもりで話す。「キミ」ではなく「あなた」、「〜くん」ではなく「〜さん」と呼びましょう。若者を入社当時の同期だと思えばいいのです。新人時代は同期をこき使ったり、これまでの人生における功績を延々と自慢したことはなかったはずです。

ありがたい2周目の人生における新人意識、これが大切なポイントです。

老けない話し方のコツ㉙

年長者の言葉は保守的なほうがかっこいい

「ら抜き言葉」は今さら取り上げることもないくらい普及しています。「食べれる」「見れる」「来れる」などなど。言葉の乱れの典型のように言われた時期もありましたが、今や「ら抜き」を使う人のほうが多数派だという実感があります。

実際、文化庁が平成27年度に行った調査によると、「ら抜き」の中でも「見れる」という人の割合が10代では76・2％、70歳以上でも3割を超え、「出れる」は10代の60・7％、70歳以上でも3割強だそうです。細かい説明は省きますが、文法に照らし合わせれば、私は誤りだと思っています。ただ文化庁のＨＰを見ても一概に間違いだとは言っておらず、特に話し言葉においては許容しているようにも読み取れます。

また例えば、「食べられる」と言うと「可能」と「尊敬」と「受け身」の区別がつきませんが、「食べれる」と言えば「可能」だとすぐに分かるという声もあります。

それほどポピュラーで市民権を得てしまっている「ら抜き」ですが、私自身は「ら抜き」言葉を絶対に使いません。文法上誤法だと思っていますし、何よりも響きが美しくないからです。若い人に関してはいちいち目くじらを立てませんが、70代のダンディな紳士が「食べれる」「見れる」と話しているのを聞くと正直がっかりすることがあります。テレビは比較的カジュアルなメディアだと思いますが、それでも誰かが「食べれる」と言っても字幕は「食べられる」で表示されることがほとんどです。

こうなってくると、正しいか正しくないかではなく、言葉に対しての感受性の問題ではないでしょうか。

「ら抜き言葉」と同じようによく「さ入れ言葉」が取り沙汰されます。「読まさせていただく」「歌わさせていただく」などで、正しくは「読ませていただく」「歌わせていただく」です。謙譲語の「〜せていただく」に余計な「さ」を入れてしまっている誤った使い方です。統計を取ったわけではありませんが、比較的フランクに「ら抜き」を使っている人に「さ入れ」も多いように感じています。

若い人の「ら抜き」の流れはもう押しとどめられないでしょう。年長者は正しい日本語を話して範を示せなどと堅苦しいことは言いませんが、やはり品格を感じさせる話し方を心掛けるべきだと私は思います。

保守的であることと時代遅れは決して同義語ではありません。**エレガントで品のある話し方は年長者の最大の武器**だと思います。

老けない話し方のコツ㉚

相手の目を見て話していますか

人と人が向き合う**対面のコミュニケーションにおいてアイコンタクトは言葉と同じくらい、時にはそれ以上の意味を持ちます**。にもかかわらず、相手の目をしっかり見ないで話す人が年齢を問わず見受けられるのはとても残念なことです。

日本人はシャイな民族だから、目を見ないで話をすると言われていましたが、もはやさまざまな国の人と接することが珍しくない昨今、そんな時代遅れな言い訳も通じないでしょう。

他人様に嘘をついてはいけないと子供の頃から教えられてきたので、そのように自分を戒めていますが、さすがに私自身、嘘をついている時は相手の目を直視できないと思います。ですから、相手の目を堂々と見ながら平気で嘘をつき騙してしまう詐欺師は、やはりただ者ではないと思います。ただ、嘘を言っている人の目は、じっくり奥の奥を見つめると見抜けるような気がします。

視線に強弱をつけたり、あるいは見つめるまなざしに柔らかさを加えるなど、目のコミュニケーションにも声のコミュニケーション同様に細かい演出があります。幼い子供や犬に強く言い聞かせる時、例えば子供に道路への飛び出しを戒める時などですが、強い視線でしっかり射るように見つめて注意をします。言葉と視線の両用で命の危険からまぬかれるようしつけるわけです。男と男が強い約束を交わし合う時も同様でしょう。そして、愛の告白も同じで、口ほどにものをいう目で愛を告白するのです。

相手の目を見て話す。これはコミュニケーションをより堅牢なものにするうえでも、礼儀のうえでも必要不可欠です。どうしても相手の目が見られないといういわゆる「対人恐怖症」は、医療の領域なので専門家に相談してみることをお勧めしますが、話をする時はとにかく相手の目をしっかり見る、これが当たり前だと思って習慣化すべきです。

当然、目のまわりは清潔に保たれているか、女性でいえばアイメークがにじんでいないかチェックするなど、目や瞳というもの全般に気を配るようにもなります。

視線という最強の武器を使わない手はありません。

老けない話し方のコツ㉛

老後貯金に「語彙貯金」も加えよう

話すこと、書くことを生業としているものにとって気を配っているのは、同じ言葉を重複して使わないことです。

例えばお礼状を書く時、どうしても「ありがとうございます」を繰り返し使ってしまいます。「いつもお心にかけていただき感謝申し上げます」「この度はけっこうなお品をどうもありがとうございます」「うれしくありがたい限りです」といった具合に「ありがとう」は1回のみの使用で、後は「感謝」「ありがたい限り」という言葉に置き換えます。

このように文章の場合は、頭を巡らせたり、辞書で調べたりと時間的な猶予がありますが、話し言葉の場合はある程度、語彙力を持っていないと咄嗟には出てきません。若いタレントのグルメレポートを観ていると、「チョー美味しい」を数えきれないほど連発して終わりです。若い人に対して許容度のある私とて、さすがにイライラしてテレビのスイッチを切ってしまいます。

私のテレビ朝日アナウンサー時代の同期・古舘伊知郎さんの学友でグルメ評論家のマッキー牧元さんの表現力は、古舘さんお墨付きのそれは見事なものです。「純真な甘み」「舌の上でぐるりとでんぐり返しをする」「旨味のエキスが顔を出し、舌を包み始める」……、日々更新のSNSでさえこのような表現が惜しげもなく出てきます。

考えてみると「美味しい」に関しては同義語があまりなく、「うまい」「甘美」そして、やや時代がかった「顎が落ちそう」くらいしか見当たりません。日々食べ歩き、卓抜した表現力を持つマッキーさんのようにはいかないかもしれませんね。でも多様な表現を、と心掛けるだけでも随分違ってきます。

また、美しいは「綺麗」「華やか」「あでやか」「きらびやか」「端正」などなど対象が人かモノか自然かによっても異なってきますが、実にさまざまな表現があります。

老後の資金を貯金することも重要ですが、**大人のたしなみとしてぜひ「語彙貯金」もお勧め**します。現役のアナウンサーは「類語国語辞典」をスマホにインストールしていると聞きます。この辞典は言い換える時の参考にはうってつけで、私も使っています。

また、**テレビ・ラジオ・小説などで心にひっかかる表現があったら書き留めておきましょう**。このくらいの努力は惜しまず、人と差をつけたいものです。話す場合だけではなく、書くことにおいても文章の質が変わってくるはずです。

老けない話し方のコツ㉜

話をする時は語尾に気を配る

「言葉を濁す」という表現があります。都合の悪いことなどをはっきり言わずに曖昧に言うことです。

「主張は語尾に宿る」のだと思います。

どんなにいい話をしても、語尾が消え入るようだったり、どこで話を終えたいのかよくわからない。言葉の最後を「濁す」のではなく、「だと思います」「ではないでしょうか」とはっきりした言葉で終えることです。

話の信憑《しんぴょう》性に自分自身が自信を持てない時、どうしても「だと思うんですけどォ」と消え入るような語尾になってしまいます。日常会話において常に確証をもって話せることばかりとは限りません。まあ普段の会話は多少、目をつぶるとしても、少なくとも公的な場で話をする時は、語尾を曖昧にする話し方はやめましょう。自信がない人、あやふやな人のイメージを定着させてしまい、せっかくいい話をしていても損をします。

逆に、話の途中まではつっかえながら話していても、着地がしっかりしていると、自分の考えをしっかり持った人というイメージにつながります。

さらにテクニック的なアドバイスをすると、**語尾は決してのばさず言い切る。語尾こそ大きな声ではっきりと**。

そして、**声のトーンを少し下げる**ことです。夜のニュースを読むＮＨＫのアナウンサーの読み方がまさに語尾にかけて声のトーンを落とすお手本です。

信憑性と聞きやすさは語尾で決まるのです。

老けない話し方のコツ㉝

朝活の勧め

長年自分の「脳」と付き合っていると、**脳の働きのいい時間帯とくたびれている時間帯がある**のが分かります。

当然一日の仕事を終え、帰宅した時の脳はかなり疲れています。お酒を飲んで帰った時などはほとんど使い物になりません。就寝までまだ時間がある時などは、録画しておいたドラマを観たり小説を読むなど、頭を使わずにすむことに時間を費やします。友人とＬＩＮＥ電話でお喋りすることもあります。

仕事や外出の予定がなくて終日家で過ごした時も、「朝の脳」と「夜の脳」ではその働きが明らかに違うことを実感します。

歳を重ねて、朝と夜の違いがより顕著になってきました。朝の脳はあくまでも自分のレベルにおいてですが、冴えていて鋭く、多少難解な文章でも受け入れられるし、書く作業においても筆も進みます。ところが夜になると、明らかに頭は鈍くなり、新聞を読むことがギリギリで、それより複雑な文章は頭に入ってきづらくなります。だから、朝起きてから昼食までに複雑な作業を集中的にこなすようにしています。

しかし、起き抜けは副交感神経が優位でまだボーっとしているので、まず散歩に出ます。朝の光を浴び、速足で歩いて身体に血を巡らせ、頭に酸素を送り込むのです。家に戻ったら、余計なことは一切せずに一目散に机に向かって、書く・読むなどの知的作業に取り掛かる。お供は1杯のコーヒーだけ。頭の回転は速く、自分でも驚くほど作業がはかどります。

このような「朝の脳」が松ランクなら、「夜の脳」は梅ランクに落ちます。ですから、夜の時間帯は書くというアウトプットではなく、読む・観るといったインプットの時間にあてます。新聞や資料を読んだり、録画してあったBSのニュース番組を観る。ＢＳのニュース番組は地上波のそれよりもより深く掘り下げた内容で見ごたえがあるからです。

脳がさらに疲れた梅以下の状態にある時は、ドラマ鑑賞や小説を読むと決めています。

認知症の予防において、自分でできることは脳を使い続けることだと専門家はこぞって言います。そうだとしたら、目一杯頭を使い続けたいし、もし頭を使うことが予防に役立つならば、少々重いダンベルで筋肉を鍛えるように、少々難解な作業に挑戦し、まだ元気なうちに脳を思いっきりしごいてやろうという魂胆なのです。

そのためには、朝を上手に使うことが重要だと思っています。

老けない話し方のコツ㉞

群れることが当たり前になるな

特に中高年女性に多く見られるのはグループ行動です。仲良しグループで連れ立ってランチや観劇に出掛ける。好ましい光景ですが、常に群れで行動するというのはいかがなものでしょうか。

例えば、６人でランチに行きメニューを決める段になったとします。一人がハンバーグと言うとほぼ全員がそれにならう。本当だったらグラタンがよかったのに、一人違ったメニューを口にする勇気はない。なかには最初から諦めてしまって「私皆さんと同じもので」と言う驚くほど控えめな人もいます。

ランチに何を食べようと、たとえ横並びであろうと、正直なところそれはさしたる問題ではありません。ただ、たとえ**些細なことでも判断を人に委ねる癖がついてしまうことが問題**なのです。

群れで行動することが多いと何も考えずに流れに乗っているだけで事足りてしまいます。友人たちとも群れ、さらに家族で行動する時も息子夫妻や娘たちとともに行動する。特に家族となると、流れに乗ってさえいれば頭を一切働かせなくとも、家を出てまた元の場所に戻ってくるまで流れに身を任せていればすむわけです。

帰りはバスに乗ってみようか。ひと駅分歩いてみようか。違う地下鉄の路線を乗り継いで帰ってみようか。そういった思案が入り込む余地は一切ありません。楽と言えばこの上なく楽です。

しかし、思考や行動、判断をつかさどる脳の前頭葉が全く発動されることなく事が足りてしまうことに甘んじていてはいけません。和田秀樹先生の『80歳の壁』にも脳の前頭葉を刺激することの大切さが説かれており、**身体のさまざまな機能同様、脳の前頭葉も使わなければ衰え、ひいては考えることさえ面倒になる**と書かれています。

考えることが面倒になるということは、言葉を操ることにおいて致命的な状態になるということです。喋ることが億劫になり、言葉も出てこなくなり、殻に閉じこもるという負のスパイラルに陥りかねません。

自分は何をしたいのか、それにはどういった判断を下し行動すべきなのか、常に自らに問いかけるようにように心掛けましょう。

群れることを好んで、判断力を眠らせてはいけません。

老けない話し方のコツ㉟

若者言葉は知ったかぶりをせず何度も聞き返す

かなり昔のことになりますが、「あけおめ」「ことよろ」を若い人たちが話し言葉や書き言葉で使っているのを知って衝撃を受けた覚えがあります。「あけましておめでとうございます」「今年もよろしくお願いします」の略語です。この表現は今でも若者の間で流通していて、ＬＩＮＥなどで飛び交っているようです。

「なんてはしたないの！」と当初は呆れたものです。

しかし、最近ではこんな短い表現で通じ合える合理性が面白いとさえ思うようになってきました。さすがに自分で使おうとは思いませんが。２０２３年の最新人気若者言葉ランキングをネットで見てみると、どれもチンプンカンプンで全く意味が分かりません。「あけおめ」「ことよろ」のように元の形はどんな世代も使う言葉であれば、まだ理解できます。ところが、その言葉を発するシチュエーションそのものがもう我々には理解不能だったりするものもあります。

例えば、「限界オタク」という言葉があるそうです。誰かの強烈なファンになった挙げ句、興奮しておかしくなり、そんな自分を自分で観ているのがもう限界になるという意味なんだそうです。「限界オタク」になること自体、私自身はよく理解できません。

「スコ」も若い人の間で流通しているらしいのですが、この言葉はインターネット上で「好き」という意味と同じように使われるそうです。一字違えるくらいなら「好き」と言った方が早いのではと思うので、なぜわざわざ「スコ」なのか全く分かりません。

「ワンチャン」これは「ワンチャンス」の略でまだ可能性はあるという意味。これは理解できますが、犬のことかと思う紛らわしさがあります。

「ら抜き言葉」が市民権を得て、今や普通に流通しているように、言葉は大多数が使ったもの勝ちで、多くの人が使っているがゆえに、誤った語法がやがて認められることもあります。「限界オタク」や「スコ」がこの先どれだけ定着するのか分かりませんが、こういった造語の氾濫はもはや押しとどめられない状況にあります。

折り目正しい若者なら、仲間内でどんなに若者言葉を使おうとも、年長者の前ではそれを控えるものですが、そういったわきまえた若者ばかりとは限りません。まるで外国語のように見知らぬ若者言葉を駆使する若い人と会話する機会だって、あるかもしれません。

そんな時、それを**頭ごなしに否定する必要もなければ、また迎合する必要も全くありません**。新しい流れはもう押しとどめようがないのでそれは認める。しかし、**自分には全く意味も分からない。だから何度でも聞き返す**。その姿勢で行くべきでしょう。

英語でよく聞き取れなかったり、分からなかったら、「pardon? パードン？」と言いましょう、そう習ったことがあります。実際の会話では、「パードン？」を繰り返すのは相手に失礼に当たるので、もっと丁寧な英語の言い回しを使うそうですが、若者言葉に遭遇した時の心意気は「パードン？」です。

分からなかったら適当に受け流したり、分かったふりをせずに「それどういう意味？」と何度でも聞き返しましょう。

分からない今どき言葉に、私は迎合したり認めたりするつもりはないけれど、私はあなたと楽しく会話する意思はあるという意思表示の意味でも臆せず聞き返すことです。

老けない話し方のコツ㊱

正しい表現は美しく聞こえる

歳を重ねるにつれ、たとえ間違ったことを言っていても指摘してくれる人がいなくなります。心の中で、あれおかしいぞと疑問を感じても年長者には口に出して言いにくいものです。そうであるならば、**若い時以上に言葉の使い方、漢字の読み方などの間違いには気をつけたい**ものです。

なかでも意外と疑問に思うことなく当たり前のように使っているのが、二重敬語です。敬語にさらにまた敬語を重ねるという間違った語法です。

例えば、「ご覧になられましたか？」。これは二重敬語で間違っています。

ご覧になる↓「見る」の敬語、なられる↓「なる」の敬語つまり敬語を二つ重ねることで、まさに二重敬語になるわけです。

「ご覧になりましたか？」あるいは「見られましたか？」

前者の方がベターですが、このどちらかでいいわけです。

「おっしゃられる」、「召し上がられる」も間違いです。「おっしゃる」「召し上がる」だけで敬語表現だからです。

また「お○○なる」の表現も二重敬語にならないように注意が必要です。

例えば「お聞きになられる」→「お聞きになる」

「お見えになられる」→「お見えになる」

「お○○なる」と「お」をつけるだけで敬語表現になるのでなられるという敬語表現を重ねるのは間違いです。

同じように、へりくだりを意味する謙譲表現も重複して使ってしまう誤った表現をする人がいます。

例えば「拝聴」「頂戴」はそれだけで謙譲表現です。これに「させていただく」

の謙譲表現をさらにつけると誤った重複表現になるわけです。

「拝聴させていただく」→「拝聴する」

「頂戴させていただく」→「頂戴する」

これが正しい表現です。

正しい表現は美しい日本語に通じます。今さら誰も直してはくれません。シニアなら、正しい美しい日本語を強みにしたいものです。

老けない話し方のコツ 37

一生使える自己紹介のひな型を作っておこう

一生のうちに自己紹介をする機会は何回も巡ってきます。学生から社会人になり、役職が変わったり、転職をしたり、また私生活では結婚、出産があったりと、社会的な立場や環境は年齢とともに変化していきます。しかし、姓名・出生地・出身校など一生不変の部分も多くあります。

自己紹介はまずひな型を作っておくことをお勧めします。

自己紹介が印象的な人の好感度は極めて高いはずです。

まず最初に述べるのは氏名です。皆に名前を覚えてもらう工夫をしましょう。

「伊藤隆です」「高橋恵美子です」と言っても、その場では覚えやすい名前だと思われても比較的ポピュラーな名前ほど忘れやすいものです。

確実に覚えてもらうには、何かに誰かに紐づけすることです。誰にでも分かる芸能人やスポーツ選手、あるいは地名などでもいいでしょう。私は人一倍名前を覚えるのが苦手ですが、1回で覚えられた経験があります。整体院の受付に新しい女性が入った時、「ササゴと申します。笹子トンネルと漢字も一緒です」、そう自己紹介され、彼女の名前は即座に覚えました。私自身ある時期、笹子トンネルをよく使っていたので、まさに絶妙な紐づけでした。できるだけインパクトのある紐づけが効果的です。

名前の漢字が難しい場合、偉人を例にとったり、漢字の説明をしてとにかく覚えてもらうことです。

また、肝心の名前を名乗る時、小声や早口で聞き取りにくい人がいますが、大きなマイナスポイントです。コマーシャルで社名をアピールするつもりではっきり大きな声で聞き取りやすいように名乗りましょう。これは自己紹介における最大のポイントです。

続いて出身地。これもただ例えば広島出身というより、「岸田首相と同郷の広島生まれで、さらに有吉弘行さんの故郷で、筆の産地で有名な熊野町の出身です」とくれば完璧でしょう。

私はサザンの桑田佳祐さんと同年同月日の１９５６年２月26日生まれです。これはかなりインパクトがあるのでよく使います。誕生日も何か特筆すべきことがあれば加えてもいいかもしれません。

あとは、ここぞとばかり自己紹介で自己アピールをする人がいますが、これは逆効果にこそなれ、あまり高ポイントにはつながりません。むしろ笑えるような失敗談を持ち出すほうが効果的です。「忘れ物の達人で小学校の時はランドセルを学校に忘れたことがあります」などです。

また見た目とのギャップを明かすことも、相手に自分を印象づけるには効果的です。「銀行員という職業柄、真面目一方に見えるかもしれませんが、趣味は社交ダンスで15年間ルンバを踊り続けています」というふうに、見た目や職業上のイメージとは違った自分をアピールするのも印象づけるには効果的です。

また職業が珍しい仕事の場合、それについて説明するのも聞く人にとっては興味深いものです。仕事上体験した稀有なエピソードもお勧めです。

ありきたりなことを避ける、自慢を避ける。このふたつにつきます。

さて、失敗談や意外な素顔を披露したあと、最後は1点だけ自分のアピールポイントを述べ、将来の夢につなげるといいと思います。「目下の夢は小学生の時ピアノコンクールで優勝した経験をもとに、親しい人たちを招いてピアノコンサートを開くことです」というふうに。このように紐づけや自分ならではのエピソードを盛り込み、自己紹介のひな型を作っておきましょう。

ふつうは原稿用紙1枚分の1分間を目安にします。長いバージョンだと原稿用紙3枚以内のつまり3分以内ということです。

老けない話し方のコツ㊳

歳を重ねたからこそ身につけたいスピーチテクニック

スピーチテクニックとしては少々高度な部類に入りますが、「つかみ」で場を和ませたうえで本題に入るという方法があります。

「つかみ」というのはよく漫才などで使われる言葉です。登場と同時にまず観客の気持ちをつかむ、こちらに引き寄せておくということ。**最初に笑いを誘って、場を和ませてから本題に入ると、聴衆の親近感がぐっと増し、共感も得られやすくなります。**

ただし、これは上級テクニックなので、万が一失敗すると、かえってシーンと静まり返る危険性もあるでしょう。慣れない人にとっては、自ら墓穴を掘ることになりかねず、気まずく重々しい雰囲気の中で話し始めることはいたたまれないでしょうから、強くお勧めはしません。

しかし、そこは年長者の強み。若い頃と違って度胸も据わってきているはずです。だから、あえて挑戦していただきたいのです。歳を重ねたからこそ、話法において人心をつかむ術を身につけておきたいものです。

やり方はこうです。本題に入る前に、今世間を騒がせている話題の人物やニュースに軽く触れて皮肉る。ただし、犯罪や不幸な出来事は話題にしてはいけません。ブラックジョークは素人には扱いにくいものです。また、世相に触れるのもハードルが高いという方にお勧めなのが落語の小話です。

「寄席で面白い小話を聞きましてね」「友人の家に電話したら小学生のお嬢ちゃんが出てきた。『お父さんいる?』って聞いたら『いらないよ』ってね。お父さんは間に合っていますっていうことなんでしょうが、私も子供にお父さんは要らないよと言われないように精進したいと思います。さて本日は〜」という具合に本題に入るわけです。

「この間、女房と喧嘩したら、『このラフランス男』と言われましてね。なんだ、おしゃれじゃないか、褒められているのかと思っていたら、『洋ナシ男(用なし男)』のことでした。皆さんもお気をつけください。さて〜」というふうにです。

もう少し堅苦しい場面では、「戦争に物価高、大変な時代になりました。でも大変とは大きな変化と読みます。良い変化を起こすチャンスと前向きにとらえたいものです」という調子です。

演説の上手い政治家は笑いをとることにも長けています。笑いを巻き起こしながら、訴えるべきところは鬼気迫る迫力で熱弁を振るう。この落差が人の心をつかみ、関心をこちらに向けるコツなのです。

怖いものがなくなってきた今こそ、度胸を見せるチャンスです。ひとつ、政治家の演説にならってみてはいかがでしょうか。

老けない話し方のコツ㊴

上手く聞くコツをマスターしよう

会話は言うまでもなくキャッチボールで成り立ちます。話すのがいくら上手くても、聞き方に欠陥があると人から好まれません。聞き方に欠陥がある人とは、ズバリ人の話をよく聞かない人のことです。こちらがいくら熱心に話しても相手の聴き方がおざなりだと話す意欲もそがれます。

そう、**話し上手は熱心に聞ける人でもあるのです。**

ところで、「なるほど」「うんうん」「分かるわ」など、相槌の言葉にもさまざまなバリエーションがありますが、概して同じ言葉に偏りがちです。聞き手の役割は何も話し手に同調するだけではありません。同調し、さらに気持ちよく乗せて話をさせる。その心配りまでできることが良い聞き手の条件です。それには**相槌の言葉にもバリエーションを持ちましょう**。「なるほど」を連発するのではなく、別の同意の言葉をいくつか用意します。

また何も言葉だけでなくてもいいのです。笑い転げたり、大きくうなずいたり、目を見開いて驚く。ボディアクションも取り入れるべきです。

もちろん、感想を述べるのもいいでしょう。当然、反対意見を表明して相手を焚きつけることがあってもいいと思います。

一方的に何かを教わる時のように聞き手に徹する場合にお勧めしたいのが、「**相手の話を要約してまた相手に投げかけること**」です。「要するに担当者が、気が利かないというわけですね」というふうに相手の言わんとすることをひと言にまとめて再び相手に投げかける。自分も聞くだけではなく、会話に参加できます。あなたの要約が的を射ていた場合、相手は嬉しくなってさらにヒートアップして会話を続けていくでしょう。

万が一、あなたの要約が適切ではない場合、相手は伝わるようにより詳しく説明しようとして、また熱く話し始めることでしょう。こうなれば、しめたものです。この要約のテクニックはぜひ身につけてほしいと思います。相手の話を熱心に聞くくせも身につきます。

モーニングショーの司会を担当している羽鳥慎一さんはこの要約の達人です。コメンテーターの発言を短いひと言にまとめあげ、同意を取ったうえで次の話題に移る。こんなふうに会話を盛り上げる術を知っていれば、人気者になれること間違いなしです。

老けない話し方のコツ㊵

最も嫌われる話の長いシニアにならないために

一応喋りのプロと言われる私などでも、2、3日家にこもって原稿を書いたりしてほとんど会話の機会がないまま過ごすと、そのあとのテレビ出演などでスムーズに言葉が出てこなかったり、俗に言う噛んだりして、戸惑うことがあります。

ピアニストは一日練習を怠ると指が動きにくくなり、数日となると取り戻すのにその倍の日数がかかるといいます。スポーツ選手でも同様でしょうが、とにかく人間のあらゆる機能は使い続けることによって維持されているのだと思います。

喋るということに関して言えば、**とにかく誰かと毎日会話する**よう努力していただきたいと思います。私たち**人間の脳はコミュニケーションを行うことによって、脳の前頭前野と言われる部位を発達させた**という説があります。会話で脳をフル回転させることは極めて重要であり、それをしないと前頭前野が不活性化し、言葉が出てこなくなったり、スムーズに会話できなくなるということになります。

運よく家族と暮らしているならば、きちんと相手の目を見て、おざなりではなく少し丁寧な会話を1日数10分でもいいから心掛けるべきです。世の中で話題になっていることやテレビドラマの感想でもいいでしょう。小難しいテーマでなくてもいいから、語り合えるような話題を選びたいものです。「今夜何にする？」「肉じゃが、食べたいなあ」「分かった」、これでは前頭前野の活性化にはつながりません。

一人暮らしであれば、どんなコミュニティでもいいから、自ら進んで足を運びそこにいる人々と会話する努力を決して怠ってほしくないのです。また、知らない人との会話はより前頭前野が活性化されるそうなので、臆せず飛び込んでみましょう。

年齢を重ねると、話が長くて敬遠されるケースが多くなります。何を話したか忘れてしまって会話の中に同じ話が何回も出てくる場合があるでしょう。また、頭の中で内容がまとまらず話の優先順位がつけられなくなり何から何まで盛り込んでしまう場合も考えられます。認知症の症状に近いものから、話の組み立てがまずいものまで、話が長くなる原因はさまざまありますが、とにかく脳の衰えは人と会話する機会が減ることで加速するのです。

「あの人は話が長いから」と敬遠されないためには、とにかく日々の会話習慣を断ち切らず継続する努力を怠らないことです。

テクニック的なことでいえば、**フレーズをとにかく短めに**。短いフレーズを重ねると相手も聞きやすいし、途中で会話に入ってこられるという利点があります。

そして、長く話さないということを常に念頭に置きましょう。ブレーキを踏む用意を忘れてはならないのです。ここらへんでやめた方がいいなと思ったら、「そんなわけで、あなたはどう思う?」と相手に振るといいでしょう。

使わなければ、誰でも、どんな器官も衰えます。改めて肝に銘じましょう。

老けない話し方のコツ㊶

文明の利器を使って熱く語ろう

「スクショして送るわ」若い子たちの間でよく飛び交う言葉です。

スクショとはスクリーンショット。スマホの画面に表示されている内容をそのまま写真に撮って画像として保存する機能のことです。またその画像そのものもスクショといいます。スマホの画面に表示されたものを、ボタンをふたつ同時に押すだけで、スマホで撮影できてしまうなんとも便利な機能です。

スクショだけでなく、電話番号やメールアドレス、店に張り出された店舗の休業日やサービスデーなど何から何までスマホで撮影し、画像保存することが習慣になっています。昔はあわてて書き留めたものの、書き写したものが間違っていたり、頑張って覚えたのに帰宅するときれいさっぱり忘れていたりと苦労したものですが、さまざまな文明の利器が登場し、実に便利になりました。**無理して覚える必要なんてない**わけです。

巷に出回っている便利なものをできるだけ使いこなし、大いに活用したいものです。

私自身、年齢とともに近眼が進む一方なのですが、近頃は観劇やコンサートには必ずオペラグラス持参で行くことにしています。舞台に立つ演者の表情までつぶさに見ることができて感激も一段と深まります。また、耳が遠くなったら臆せず補聴器を使おうとも思っています。妙に肩ひじを張らず、頼れるものは迷わず頼るべきです。細かいところまで見えれば、観劇後の会話にも積極的に参加できます。「耳が遠いから私には聞こえなかったわ」などと言わず、補聴器の力でしっかり聞いて熱く語りましょう。

食わず嫌いならぬ、使わず嫌いは損をしますよ。

老けない話し方のコツ㊷

声を老化させないためには

声も歳を取るのだということに気がついたのは60歳を過ぎてからです。

若い時からどちらかというとソプラノ系の高めの声だったので、60代に入り声のトーンが少し低くなったことを正直喜んだものでした。これで落ち着いた朗読などができる声になる、そう思いました。

しかし、年々トーンが少しずつ下がってくるのを感じ、これは声が老化しているのだと気づいたのです。筋肉が年齢とともに衰え、筋肉量が低下していくように、声帯という筋肉もどうやら年齢とともに衰えていくようです。トーンが下がるばかりか、声に張りがなくなったり、かすれ声になったりもするそうです。

また、声帯の衰えがさらに進むと、食べ物や飲み物が食道ではなく気管のほうへ入ってしまい、命にもかかわる誤嚥《ごえん》性肺炎を起こすことにもなりかねません。幸い、私の場合はまだ声のトーンが少し変わったくらいにとどまっていますが、声に張りがなくなったり、かすれたりしないよう、酷使しない程度に声帯も鍛えています。

何と言っても、朗々としたよく通る声は若々しさの証しにもなります。逆に弱々しいかすれた声は老人を想起させることになるでしょう。

では、声の若々しさを保つためには何をすべきでしょうか。

結局のところ、**声を出すために必要な筋肉である声帯もまた、使わないと衰えていく**のです。友人とお喋りしたり、時にはカラオケで歌う。また別項で述べた発声・発音練習を習慣づけることもお勧めします。そして日頃から散歩を習慣にして、肺の機能を保っておくことも発声のためにぜひとも心掛けたいものです。

どんな声もその人の大切な個性ではありますが、弱々しい声やかすれ声は、語る内容の足を引っ張るマイナスポイントにしかならないと思うのです。

声の若さを保つため、声帯を使い続け、鍛えることを怠らないようにしたいものです。

巻末対談――和田秀樹先生と

会話と老化の深～い関係について

ここまで、私が話し方の講座などでお教えしてきたこと、常々「話すことのプロ」として考えてきたことをベースに、「老けないための話し方のコツ」を42項目にわたって記してきました。本書の総まとめとして、『80歳の壁』などのベストセラーの著者であり、高齢者医療に詳しい精神科医の和田秀樹先生に、シニアにとって話すことがいかに重要かという点について、その医学的な側面についてお話を伺いました。

対談写真／高橋聖人

年齢を重ねたら、生き方を「足し算」で考える

南　『80歳の壁』、『70歳の正解』『70歳が老化の分かれ道』などの著書をすべて読ませていただきましたが、何よりも「歳を取っても、生きたいように楽しく生きろ」という先生のお考えには非常に共感を覚えました。

和田　ありがとうございます。

南　歳を取るとどうしても「これは食べちゃダメ、あれは控えなきゃダメ」といった行動制限が多くなりますよね。そんななか先生は、「食べたいモノを食べて、贅沢もして、できれば恋愛もして――」と提言していらっしゃる。これは世の高齢者たちの大きな希望になっていると思います。

和田　そうであってほしいですね。これからは「歳を取るほど、人生、足し算」であるべきなんですよ。

南　先生は著書のなかでも、「足し算医療」が大事だとおっしゃっていますね。

和田　はい。これまでの医療では、健診で異常値が見つかった患者に対して「引き算」の考え方による治療や指導を行ってきました。例えば、血圧や血糖値が高ければ薬を出して数値を下げる。日常生活では「○○を控えましょう」「△△をやめましょう」といった減らす方向の指導をする、という具合です。

　でもそんなに引き算ばかりしていたら、そうでなくても加齢で元気がなくなってきている高齢者は、かえって健康を損ねてしまいます。年齢を重ねた人が若々しく元気に生きるためには、過剰なものを減らす引き算ではなく、足りていないものを加える「足し算」のほうを大事にするべきなんですよ。

南　なるほど。「あれもこれもダメ」ではなく、心や体を元気にするものを増やしていくという発想が大事なのですね。

和田　そうです。そして医療だけでなく普段の生き方も足し算で考えなきゃいけない。

南　生き方の足し算とはどういうことですか。

和田　例えば、定年で会社を退職した途端に行動範囲や交友関係が格段に狭くなるという人が少なくありません。これだって活動量が減っているという意味では引き算ですよね。でも定年後も心身ともに元気でいたいと本気で考えるなら、行動範囲にせよ交友関係にせよ、働いていた時以上に広げていく、つまり足し算していくことが必要なんです。

南　確かに。リタイアしたらずっと家にいて、話す相手は奥さんだけ、たまに出掛けてもコンビニ程度、みたいになってしまう人も多いみたいですから。

和田　1日の歩数にしても、会社に行っている時は通勤や外回り、オフィス内の移動だけでも7000～8000歩くらいになるらしいけど、家に閉じこもってたら数百歩しか歩かなくなっちゃう。会話にしてもそうですよ。仕事をしていれば否応なしに話をするわけです。いくら話し下手といっても話さなきゃ仕事にならないんだから。

南　ところが仕事を辞めると、人と話をする機会が一気に引き算されてしまうわけですね。

和田　そうそう。下手すると奥さんにまで「付き合ってられないわ」なんて言われて、家の中でさえ話さなくなる（笑）。

南　あり得ますね（笑）。

和田　面白い統計があって、日本人は「子どもが結婚して以降に親子で会ったり会話したりする機会」が、世界でワーストレベルに少ないらしいんです。

海外では結婚して親元を離れてもパパやママのいる実家にしょっちゅう会いに行くのが普通なんです。でも日本だと、旦那が自分の母親に週1回「おふくろ、元気か？」って電話をするだけで「この人、マザコンだ」とか思われてしまう（笑）。そんな、ある種、異様な文化があるんですよ。

南　歳を取るにつれて、夫婦間や親子間など家族内での普通の会話でさえ徐々に引き算されて、コミュニケーションの機会が失われていく。深刻な問題ですよね。さらにある調査によれば、日本では男性の単身高齢者の約17％が「2週間に1回以下」しか会話をしていないのだそうです。

和田　だからこそ、南さんがおっしゃる「高齢者こそもっと話そう」という意識はすごく大事なんです。高齢者がデイサービスなどの施設を活用する最大の効用は「人と話す機会を得られる」という点にあります。誰かと話をすることが認知症の進行を遅らせるのは医学的に明らかですし、普段の老化予防においても会話は不可欠な要素なんです。

南　高齢になるほど、意識して日常生活に「会話」を増やしていく、コミュニケーションの足し算を心掛ける必要があるんですね。

日本人はアウトプットの練習をしてきていない

南　ただ、人と話すことの大切さは理解しているけれど「口下手で話せない」「仕事の要件以外の雑談は苦手」という悩みを持つ高齢者も少なくありません。

和田　それには日本人の教育にも問題があって。というのも、これまで日本人は一生懸命に「インプット型」の勉強ばかりしてきたわけです。「知ること」最優先でひたすら知識をインプットしてきたけれど、それをアウトプットするトレーニングをしていない。本を読むことも大事だけれど、読んだ本の内容をアウトプットすることはもっと大事という教育を受けてこなかったんです。

南　せっかく知識を得ても、その〝出し方〟を知らない――。確かに、たくさん本を読んでいても、その内容を語れない、という人は多いように思います。では、アウトプットの仕方を学ばずに歳を取ってしまった高齢世代はどうすればいいでしょうか。

和田　やはり練習することですね。これまで学んでこなかったのだから、今からでも話し方を学んで、練習をすることが大事だと思います。

南　分かります。私も話し方講座などでよく言うんです。いきなり上手く話そうとしても無理。練習してくださいって。例えば結婚式のスピーチでも、原稿を「起承転結」でしっかり書いたら、まず家族の前で読んで聞いてもらいましょう。そして反応を見ながら内容や読み方、話し方を修正してください。プロである私たちだって何度も練習して、たくさんの場数を踏んできたから話せるんですよって。

和田　そうですよね。例えば、民主党のジョン・F・ケネディ候補と共和党のリチャード・ニクソン候補が大激戦を繰り広げた1960年のアメリカ大統領選挙での有名な話があります。優秀だけどスピーチがあまり上手くなかったケネディに比べ、スピーチ上手で政治経験豊富なニクソンは人気も高かったため、選挙はニクソン有利と思われていました。

そこでケネディは優秀なスピーチライターを雇って、必死になってスピーチを練習した。その甲斐あってテレビ討論会で大きく支持を伸ばし、大統領になれたわけです。

南　あのケネディだって、練習しなければスピーチ上手になれなかった。

和田　日本の政治家の話が全然面白くないのは話す練習をしていないからだと、私は思っています。みなさんだって同じで、話すのが苦手とか上手に話せないというなら、やはりそのための練習をしなきゃダメなんですよ。

いくつになってからでも遅くはないので、南さんの書かれたこの本を読んで、話す練習を心掛けてほしいですね。きっと日々の生活、これからの人生が変わります。

前頭葉の衰えが「頭の固い偏屈な老人」をつくる

和田　実は私が今年の研究や執筆のテーマにしているのが「前頭葉《ぜんとうよう》」なんです。前頭葉というのは大脳の前部分にあって、思考や運動、言語、判断、感情、意欲などをつかさどる領域のことです。大脳にある前頭葉以外の「側頭葉《そくとうよう》」や「頭頂葉《とうちょうよう》」「後頭葉《こうとうよう》」といった領域は加齢による機能低下が少ないのですが、前頭葉は歳を取るほどに機能が低下していきます。早い人だと40代からすでに萎縮が画像で見えるようになって、脳に隙間が生まれてくるんですね。

南　前頭葉が老化して衰えると、どんな影響が生まれるのでしょうか。

和田　最も目に見えた形で表れるのは意欲の低下です。記憶力よりも先にやる気や意欲が失われてしまうんですよ。前頭葉が衰えて意欲が落ちてくると、足し算の生き方をしなくちゃいけないのに、出掛けなくなる、話さなくなる、学ばなくなる、新しいことにチャレンジしなくなる――と引き算ばかりになって、そこから老化の一途を辿るわけです。

南　意欲の低下と聞くと、「老人性うつ」も前頭葉と関係があるように思えるのですが。

和田　そこはまだ解明されていませんが、私は関係あると思っています。前頭葉が衰えてくると、旧来型のルールや常識による「○○でなければいけない」という思い込みに縛られる「かくあるべし思考」や、グレーを認めず白か黒かだけで物事を判断する「二分割思考」に陥りやすくなります。実は、こうした思考パターンもうつ病の原因のひとつと考えられているんです。

南　時代や社会が変わっても、その変化に柔軟に適応できないから、ということでしょうか。

和田　そうですね。「かくあるべし思考」の人は、自分がその「かくあるべし」の状態でいられなくなると苦しんで、自分を責めてしまうことも少なくありません。また、二分割思考の人にはすぐ感情的になって孤立しやすい傾向があります。例えば、味方だと思っていた人が少しでも自分を批判すると、それだけで勝手に「裏切られた」と決めつけて落ち込んでしまう。「味方でも時には意見がぶつかることだってある」と思えればいいのに、すぐ「あいつは敵だ」と感情的になってしまうわけです。こういう人もうつになりやすいタイ

プと言えるでしょう。高齢になるほどうつになりやすいのには、前頭葉の機能低下が招く「融通の利かない思考パターン」が大きく影響していると私は思っています。

前頭葉を老化させる敵、その名は「前例踏襲思考」

南 自分で「かくあるべし」と思い込んでいる事柄と相容れないものは受け入れない。中間や曖昧を認めず、何でも白黒をつけたがる。こうした頭の固い高齢者にならないためには、前頭葉を活性化する必要があるわけですね。でもどうやったら活性化できるのでしょうか。

和田 ひとつ重要なのは「前例を踏襲しない」ことですね。さっきも言いましたが、前頭葉が衰えるとそれを使わないと対処できない想定外のことを避けるようになります。「いつもの同じ店にしか行かない」とか「同じ著者の本ばかり読む」とか「決まったブランドの服しか買わない」とか、そうなってくるわけです。

南　すでに勝手を知っている「いつもと同じ」のほうが、いろいろと考えなくていいですものね。

和田　そのような形で前頭葉が老化すると、「現状維持バイアス」が働きやすくなるんです。現状維持バイアスとは、何かを変えてチャレンジするより今のままのほうがいいという発想のこと。例えば、「自民党のやり方は許せないけれど、野党に替えてもっと悪くなるよりこのままのほうがいいでしょ」みたいな発想も、前頭葉が衰えてきた人にありがちな前例踏襲の思考パターンと言えます。

南　例えば、行きつけのお店ばかりでなく、初めてのお店に入ってみるとか、帰り道のルートを毎日変えてみるとか。前頭葉の老化予防には、常にいつもと違う新しい刺激を与えることが大事なのですね。

和田　ええ。脳が若いというのは、勉強ができるとか計算が速いということではなく、アイデアが斬新だとか、既存の考え方とは違う発想ができるとか、多様な可能性を追求できるということです。普段から、意識的に自らのお決まりのルーティーンを避けるように心掛けないと、前頭葉は老化の一途を辿り、考え方も凝り固まって年寄りくさくなってしまいます。

南　前頭葉に楽ばかりさせていると、脳の老化が加速するのですね――私も気をつけなきゃ（笑）。

和田　実は、前頭葉の機能低下は高齢世代に限らず、若い世代が直面している問題でもあるんです。そこには、先程のアウトプット同様、「前頭葉を鍛えるための教育をほとんどしていない」日本の教育制度が深く関わっています。例えば、今の日本の大学における入試面接のシステムが及ぼす問題もそのひとつです。

南　それはどういうことでしょうか。

和田　例えば日本の大学の場合、教授の講義をノートに取って、試験でそのまま再現できる学生でなければ「優」をもらえません。東大でさえそうです。ところが海外の大学では、教授の講義に反論できる学生のほうが「優」をもらえるんです。最近は大学でも入試面接が採用されていますが、日本だと教授自身が面接官をするため、従順で講義に反論しないような学生が大勢合格します。ところが海外の大学だと入試の面接をするのは、教授ではなくアドミッションズオフィス（入学管理局）の担当者です。だから、教授の講義に〝ケンカを売りそうな学生〟が合格するんですよ。私はまだ入試面接がない時代に受験したので東大の理Ⅲに入れたけれど、今だったら絶対に面接で落とされていると思いますよ（笑）。

南　和田先生、教授に敢然と反論しそうですものね（笑）。

和田　そうした入試面接によって日本の大学に集まってくるのは、前例踏襲、現状維持の事なかれ主義思考の学生ばかり。一方で、自由な発想を持ち、前例を疑ってかかり、人とは違うことを面白いと思えるような前頭葉の活発な人材はハジかれてしまうわけです。

南　確かに、教授の講義が正しいと思い込んで反論や議論をしないのも、前頭葉を働かせない前例踏襲思考のようなものですね。

和田　今では全国の82のすべての大学医学部で入試面接を採用していますが、こんな感じではこの先、日本の医療は進歩しないんじゃないかと本気で不安になってきます。このままだと日本は〝前頭葉バカ〟ばかりになっちゃう(笑)。

南　前頭葉の問題は高齢者に限ったことではなくて、日本全体の問題なんですね。

和田　本当にそうです。ただここで重要なのが、前頭葉という領域は歳を取ってからでも十分に鍛えられるということです。つまり考えようによっては、ほかの人たちが前頭葉を使っていないなか、今からでも意識して使い始めれば、その人は周囲よりずっと面白い発想ができるようになるし、会話だって上手になれるとも言えるんです。

南　そうか、それは世の高齢者にとって意義のある朗報ですよ。

和田　今の世の中、20代だって前例を踏襲しがちで、現状維持的な思考を持つ人のほうが多数派です。前頭葉を全然使っていない若者と、意識して使っている高齢者なら、まず高齢者の勝ちです。

例えば私が20歳そこそこの若者と議論するとしましょうか。確かにＩＴやＡＩなどについては若い人のほうが詳しいかもしれない。でも、それは単に彼らのほうが知識を持っているだけの話であり、前頭葉の鋭さ、つまり頭の良さとは関係ないのです。逆に、どちらが自由な発想で突飛なアイデアを出せるかとなれば、断然、私のほうに分があると思いますね。

南　前頭葉を鍛え始めるのに「遅い」ということはない。覚えておきたいですね

会話、それも「異論をぶつけ合う」会話が、前頭葉を大いに刺激する

和田　話は戻りますが、先の前例踏襲思考からの脱却に加えて、もうひとつ、前頭葉のトレーニングに効果的なのが、この本のテーマでもある「会話」なんです。前頭葉は、言語を話し言葉にして音声で表出する「発話」という行為をつかさどっている領域でもあります。そのため、積極的に声を出して話をすることが、前頭葉を

活発に働かせるトレーニングになるわけです。ちなみに、発話が前頭葉で、言語の意味の理解に関わるのは大脳の側頭葉という領域になります。

南　つまり、本を読んだりして知識をインプットする時は側頭葉が使われ、話したり書いたりというアウトプットをする時には前頭葉が使われると。

和田　そのとおりです。ですから、もし前頭葉を損傷すると、言語の意味は理解できてもそれを組み立てて話し言葉にすることができない「運動性失語」を発症する恐れがあります。一方、側頭葉の言語中枢を損傷すると言語の意味を理解できない「感覚性失語」になるとされています。

南　やはり高齢者にとって前頭葉の老化予防には、インプットよりも会話によるアウトプットのほうが望ましいんですね。

和田　以前、『思考の整理学』というロングセラーの著者でお茶の水女子大名誉教授だった故・外山《とやま》滋比古《しげひこ》さんと対談する機会がありました。その時真っ先に言われたのは、「定年したら、もう勉強なんかしちゃいけない」「歳を取ったら、インプットするよりも人と話しなさい」ということです。実際に、外山さんは96歳で亡くなる直前まで週に3回、仲間と自由に好きな話をする「おしゃべり会」をやり続けたのだそうです。やはり歳を取ったら、歳を取るほどに、アウトプットを心掛けなきゃいけないんですね。

南　会話というアウトプットで前頭葉を活性化するために、何か意識したほうがいいことはありますか。

和田　ここでも大事なのは前例踏襲思考を捨てること。自由な発想でものを考えて、自由な意見を話せばいいんです。

南　ですよね。歳を重ねて今更守るべきモノもないんだから、突飛な意見を言って変わり者と思われたって、ねぇ(笑)。

和田　あと、ものごとを「疑う」習慣を持つことですね。思考、意欲、感情に関わる前頭葉が老化して衰え、萎縮してくると、思考や感情がどうしても短絡的になって疑うという気持ちが生まれにくくなります。だからこそ、「かくあるべし」と思ってきた常識や思い込みを、メディアから一方的に流れてくる情報を、「本当にそうなの？」と疑ってかかってみる。「プーチンが悪で、ゼレンスキーが正義――本当にそうなのか？」「コロナ禍にはマスクが絶対に必要――本当に？」みたいに。これが前例踏襲思考を捨てる第一歩です。この意識を持つだけでも前頭葉はかなり活性化します。

南　ただ、「常に疑ってかかる」というスタンスだと、場合によっては会話が上手くいかないケースもありそうですが。

和田　確かに、そういうこともあるかもしれませんね。でも私は「会話は大事だけど、相手を選ぶ必要はある」と考えています。少なくとも、意見や考え方が分かれるような話題になった時に、きちんと「異論をぶつけ合える」相手というか、そうした会話の環境を探す姿勢は非常に大事だと思うんです。

南　すごく分かります。第一に「話してアウトプットすること」「人と会話をしてコミュニケーションを図ること」のどちらも大事だというのが大前提で、さらに高いレベルを求めるのなら、気持ちよく異論をぶつけ合えて前頭葉に刺激を与えられるような会話の機会を探そう、ということですね。

和田　おっしゃるとおりです。「話す・会話する」という行動だけでも前頭葉は活性化します。ただ、みんなで同調するだけとか変化のない前例踏襲的な話題ばかりではさほど大きな刺激にはならない。だから、時には異論をぶつけ合うような議論をして強めの刺激を与えてあげるほうが、より脳の活性化につながるんですね。

南　とはいえ高齢者の場合、ただでさえ狭まっている交友関係のなかで「議論できる相手」を探すのもなかなか難しいのではないでしょうか？

和田　ひとつのヒントとしては、今の時代だからこそ、SNSのようなコミュニケーションツールを使うのもいいかもしれません。SNSの投稿を見ていれば、「発想が面白い」とか「当たり前のことばかりでつまらない」とか何となく分かってくるでしょう。そこで「この人、気が合うな」と思ったら、SNS上でのやり取りから始めて徐々にリアルに話す機会を持つようにする、というのもありだと思います。

南　身近にいる人のなかから探すだけでは限界がありますものね。

和田　そう。私も時々、以前担当してくれた編集者などのＳＮＳをチェックしたりするのですが、なかには興味深い投稿をしている人がけっこういます。そういう人たちに返信することで、「先生、お久しぶりです」となって付き合いが再開することもありますから。

南　やはり会話の機会や論戦する機会は、ただ待っていてもやってこない。自分から積極的に動いて見つけていかなきゃダメということですね。

声を出すことも、前頭葉のトレーニングになる

南　先生、会話が前頭葉のトレーニングに効果的なのは、「声を出す」という行為そのものが好影響を与えているという見方もできますか？

和田　そのとおり、声を出すことは脳の活性化と老化予防になります。例えば、私

が知っている患者さんに趣味の詩吟を続けている人がいますが、その人は認知症の進行が遅いんです。詩吟で声を出すことが影響していると考えれば、カラオケや音読だって効果はあると思います。だから、私はよく「脳トレするならカラオケに行け」って言ってるんですよ。

南　いちばん望ましいのは会話、さらに理想を言えば論戦に至るような刺激の強いコミュニケーションなのでしょうが、そうでなくても、単に声を出すことを心掛けるだけで前頭葉には効果があるんですね。

和田　だからこそ私は、今回の新型コロナウイルス感染症のパンデミックでは、脳への悪影響についても危惧しているんです。

南　3密を避けるためにと、大人数での会話も、カラオケもダメになってしまいました。

和田　声を出すという行動そのものが壊滅状態になってしまったことこそ、コロナ禍が招いたいちばんの悲劇じゃないかとさえ思っています。デイサービスに行っても「会話禁止」なんて言われる始末ですから。おかしいでしょ。こういう状況を何とかしていかないと、高齢者だけでなく国全体のレベルで前頭葉の機能低下が一気に進んでしまいかねませんよ。

南　新型コロナウイルスの大きな影響を受けたこの3年間のダメージを取り返すためにも、シニアの方々には、話し方のコツをつかんで意欲的に対話に臨んでほしいですね。

和田秀樹（わだ・ひでき）
1960年、大阪府生まれ。東京大学医学部卒。精神科医。東京大学医学部附属病院精神神経科助手、米国カール・メニンガー精神医学校国際フェローを経て、現在、ルネクリニック東京院院長。高齢者専門の精神科医として35年にわたって高齢者医療の現場に携わっている。著書は、『80歳の壁』（幻冬舎新書）、『70歳が老化の分かれ道』（詩想社新書）、『60歳からはやりたい放題』（扶桑社新書）、『老人入門』（ワニブックス【PLUS】新書）など多数。

おわりに

「老化は病気であり、治療や予防ができる可能性がある」

私が仕事を通じて関わらせていただいている日本抗加齢医学会に所属し、主に研究者として活動している医師の中にはこんな考え方をされる方が多くいます。そして、２０１９年、ＷＨＯ（世界保健機関）の疾病分類に「老化」が付け加えられました。

アンチエイジング研究によると、食事や運動といった生活習慣を積極的に変えることで老化のスピードを遅らせ、健康寿命を延伸させる可能性があることが分かってきています。また、再生医療や老化細胞の除去など、まだ高額であったり、研究段階であったりするものの、有望な治療法も模索されています。

医学の力や生活習慣によって長寿が達成できるとしたら、やはり「幸せで元気で長生き」を目指したいものです。そして、人の幸せは詰まるところ、他者との関わりの中に生まれてくると言っても過言ではないと思います。いくらお金があっても孤独な人生は幸福とは言い難いでしょう。

言うまでもなく、人は言葉によって通じ合います。歳を重ねるにつれ、会話の重要性、ありがたさはより一層、増してくると思います。重ねて、積極的に会話をするというアウトプットによって、年齢に負けることなく、いつまでも前頭葉が活性化されます。もう「話下手だから」などとは言わせません。この本に書かれていることを実践し、臆せず外に出てみましょう。

最後になりますが、本書の出版に際し、ご多忙を極められる中、快く対談にご協力下さった長年の友人である和田秀樹さんに衷心より御礼申し上げます。

令和5年　風薫る季節に

南 美希子

「老けない人」ほどよく喋る
健康長寿のカギは話し方にあった

著者　南　美希子

２０２３年７月５日　初版発行
２０２３年８月５日　２版発行

南　美希子（みなみ・みきこ）
アナウンサー、エッセイスト。１９５６年東京都生まれ。テレビ朝日アナウンサーとして９年間、バラエティー番組・情報番組を担当し、人気を博したのち独立。独立後もテレビ・ラジオ・執筆・講演・司会などで活躍中である。近年ではＴＶコメンテーターの仕事が多い。日本抗加齢医学会からアンチエイジングアンバサダーを拝命しており、アンチエイジングに関する知識も豊富。東京理科大学のオープンカレッジで長年、話し方講座の講師を務めている。

発行者　佐藤俊彦
発行所　株式会社ワニ・プラス
〒１５０-８４８２
東京都渋谷区恵比寿４-４-９　えびす大黒ビル７Ｆ
発売元　株式会社ワニブックス
〒１５０-８４８２
東京都渋谷区恵比寿４-４-９　えびす大黒ビル
装丁　橘田浩志（アティック）
柏原宗績
ＤＴＰ　株式会社ビュロー平林
印刷・製本所　大日本印刷株式会社

ISBN 978-4-8470-6209-4
ワニブックスＨＰ　https://www.wani.co.jp